s concrets
aut nive
e 4 mo
e en
15

Les
cocktails

• MARABOUT •

Ce guide a été rédigé par un collectif d'auteurs et Wayne Collins
(chapitre Les cocktails à la tequila).
L'édition française a été traduite et adaptée par Dominique Brotot,
avec la collaboration d'Isabelle de Jaham.
La maquette de la présente édition a été réalisée par Sophie Bougnon.

Crédits photographiques

Publié pour la première fois en Grande-Bretagne sous les titres :
Little Book of Gin Cocktails
Little Book of Rum Cocktails
Little Book of Tequila Cocktails
Little Book of Vodka Cocktails
Par Hamlyn Octopus Publishing Group Ltd, 2-4 Heron Quays, Docklands, London E14 4JP.

Nous rappelons à nos lecteurs que l'abus d'alcool est dangereux pour la santé
et qu'il convient de le consommer avec modération.

Sommaire

Les cocktails

Qu'ils soient savourés en apéritif, bus en *long drinks* désaltérants ou sirotés brûlants pour soulager un rhume, les cocktails offrent une palette infinie de saveurs. De multiples ingrédients entrent dans leur composition et leur préparation obéit à un rituel bien défini. Si les grands cocktails ont presque tous été inventés à la fin du XIXᵉ siècle, les nombreuses variations possibles comblent les amateurs de recettes nouvelles.

Les accessoires

L'accessoire le plus utilisé est le shaker, timbale en verre ou en métal qui permet de frapper les boissons tout en les liant intimement. L'équipement du bar comprendra aussi un verre à mélange et une cuillère à long manche, pour des combinaisons demandant à être remuées plus doucement, et un mixer pour les recettes incorporant des ingrédients comme des morceaux de fruits ou du blanc d'œuf. Un doseur et un presse-agrumes sont indispensables, ainsi qu'un couteau économe pour prélever les zestes. La passoire à cocktail retient la glace quand on « passe » un mélange frappé avant de le servir. Des soucoupes contiendront le sel ou le sucre utilisé pour « givrer » le bord d'un verre.

La glace, un élément indispensable

La glace joue un rôle très important dans la confection d'un cocktail. Elle a deux fonctions : refroidir le liquide et agir comme un fouet dans le shaker. Il faut manipuler les glaçons avec une pince à glace plutôt qu'avec une cuillère afin de ne pas recueillir de l'eau qui délayerait le mélange. Quelques coups de rouleau à pâtisserie sur des glaçons enfermés dans un torchon ou un sac en plastique épais permettent d'obtenir de la glace brisée ou pilée. La glace brisée, plus grossière que la glace pilée, dilue moins vite une boisson, mais la refroidit aussi plus lentement. La technique la plus rapide (quelques minutes suffisent) pour rafraîchir un verre que l'on n'a pas mis à temps au réfrigérateur consiste à le remplir de glace pilée. Pensez à essuyer le verre après avoir vidé la glace.

Des ingrédients à récolter aux quatre coins du monde

Les quelque deux cents recettes de cocktails sélectionnées dans ce livre utilisent des ingrédients du monde entier. Vous ne pourrez constituer votre réserve que progressivement. Il est facile de se procurer, en grande surface notamment, la majorité des produits citée, dont les quatre alcools de base : le rhum, le gin, la vodka et la tequila. Vous trouverez les produits plus rares chez les commerçants spécialisés dans les spiritueux, les denrées exotiques ou la diététique. Enfin, vous devrez profiter d'un séjour à l'étranger ou passer commande sur Internet pour vous procurer les produits les plus exotiques. Utilisez de préférence des jus obtenus à partir de fruits frais. Il faut savoir que les agrumes rendent davantage de jus si, avant de les presser, vous les faites rouler sous votre paume en appuyant fortement.

Les cocktails au rhum

DAIQUIRIS ET ZOMBIES

DAIQUIRI

BANANA DAIQUIRI

APRICOT DAIQUIRI

COCONUT DAIQUIRI

STRAWBERRY DAIQUIRI

FROZEN PINEAPPLE DAIQUIRI

MELON DAIQUIRI

ZOMBIE

HAVANA ZOMBIE

ZOMBIE CHRISTOPHE

ZOMBIE PRINCE

MÉLANGES EXOTIQUES

GRENADA

PIÑA COLADA

BLUE HAWAIIAN

MAI TAI

SUMMERTIME

BANANA ROYAL

PORT ANTONIO

DISCOVERY BAY

ST LUCIA

BAHAMAS

SERENADE

PUSSYFOOT

VIRGIN'S PRAYER

BOMBAY SMASH

TROPICAL DREAM

PUNCHS ET FIZZES

FLORIDA SKIES

CUBA LIBRE

MISSISSIPPI PUNCH

HAVANA BEACH

TOBAGO FIZZ

NEW ORLEANS DANDY

BAHAMAS PUNCH

PINK RUM

GOLDEN RUM PUNCH

PINK TREASURE

PUNCH JULIEN

À SIROTER LENTEMENT

ALEXANDER BABY

BATISTE

BLACK WIDOW

RUM MARTINI

HONEYSUCKLE

WHITE WITCH

SUNSET TEA

HEARTWARMER

BETWEEN THE SHEETS

ISLAND CREAM GROG

Les cocktails au rhum

L e rhum est une boisson qui évoque de nombreuses images. Le liquide blanc parfumé appartient autant aux pirates de la mer des Caraïbes qu'aux riches planteurs sirotant de grands verres embués à l'ombre de vastes porches ou aux matelots de la Marine britannique impatients de recevoir leur ration officielle.

Les Antilles, berceau du rhum

L'histoire ou plutôt la légende attribue à Christophe Colomb l'introduction de la canne à sucre aux Antilles. Mais ce sont bien les Antilles qui firent découvrir au reste du monde l'eau-de-vie tirée du jus de la canne à sucre. Dès le XVIIe siècle, à Hispaniola, on obtenait à partir de la canne à sucre ou de ses dérivés un alcool qu'un contemporain décrivit comme « fort, diabolique et épouvantable ».

L'incroyable succès du liquide blanc

De nouvelles techniques, l'utilisation de levures sélectionnées, le perfectionnement de la distillation et de la filtration et le mûrissement en fût permirent d'améliorer progressivement l'alcool blanc. Alors qu'il n'était à l'origine qu'un breuvage grossier, il fut ensuite destiné à des colons privés de boissons européennes plus raffinées. Le rhum devint si populaire en Europe de l'Ouest, puis dans le monde entier, que la British Navy accorda à ses marins une ration quotidienne gratuite. La tradition dura jusqu'au XXe siècle.

Rhum agricole et rhum industriel

Le rhum agricole est distillé directement à partir du jus fermenté de la canne à sucre. En revanche, des mélasses entrent dans la fabrication du rhum industriel. L'alcool qui sort des cuves est un liquide incolore. Ce rhum blanc devient paille (ou ambré) s'il passe dix-huit mois en fût de chêne, ou vieux s'il mûrit ainsi plus de trois ans. Les rhums disponibles en France proviennent en général des D.O.M.-T.O.M., mais la canne à sucre sert à la fabrication d'eau-de-vie partout où elle est cultivée, notamment à la Jamaïque, à Cuba, à Porto Rico et à la Barbade. Le rhum est ainsi l'alcool le plus consommé dans le monde.

La base idéale de nombreux cocktails

Apprécié comme base de cocktail, car il se marie aisément à des saveurs très variées, le rhum blanc entre dans la composition de nombreux classiques : Daiquiri, Piña Colada, Blue Hawaiian et Mai Tai. Certains cocktails, comme le Zombie, mélangent plusieurs qualités de rhums. Le rhum paille et le rhum vieux s'accordent magnifiquement avec les jus de fruits, en particulier le jus de citron vert, et permettent d'obtenir d'excellents punchs à boire glacés ou chauds. Malgré son parfum marqué, le rhum s'associe également fort bien avec de nombreux autres alcools et liqueurs.

Daiquiris et zombies

Merveilleusement rafraîchissants, ces cocktails classiques associent le rhum aux parfums de fruits frais, en jus ou en liqueur.

Daiquiri

Pour une personne
de la glace brisée
le jus de 2 citrons verts
1 cuillère à café de sirop de sucre de canne
13,5 cl de rhum blanc

Mettez beaucoup de glace brisée dans un shaker et versez le jus de citron vert, le sirop de sucre et le rhum. Secouez jusqu'à l'apparition de buée sur la timbale, puis passez dans un verre à cocktail rafraîchi.

Banana Daiquiri

Pour une personne
3 glaçons brisés
9 cl de rhum blanc
2,5 cl de liqueur de banane
la moitié d'une petite banane
2,5 cl de *lime cordial*
Pour la décoration
1 cuillère à café de sucre glace (facultatif)
1 rondelle de banane

Jetez les glaçons dans un verre à cocktail ou un grand verre ballon. Mélangez au mixer pendant trente secondes le rhum, la liqueur de banane, la banane et le *lime cordial*. Remplissez le verre et décorez avec le sucre glace, si vous décidez de l'utiliser, et la rondelle de banane.

Le *lime cordial* est un sirop de citron vert peu sucré, mais moins acide que le Pulco citron vert très répandu en France.

Apricot Daiquiri

Pour une personne
de la glace pilée
4,5 cl de rhum blanc
4,5 cl de jus de citron
2,5 cl de liqueur ou d'eau-de-vie d'abricot
3 abricots mûrs, épluchés et dénoyautés
Pour la décoration
1 tranche d'abricot
1 cerise confite
1 brin de menthe

Mettez de la glace pilée dans un mixer. Ajoutez le rhum, le jus de citron, la liqueur ou l'eau-de-vie et les abricots. Faites tourner pendant une minute, ou jusqu'à ce que le mélange soit onctueux. Versez dans un verre à cocktail rafraîchi et décorez d'un brin de menthe et de la brochette obtenue avec la tranche d'abricot et la cerise.

Pour apporter la touche finale à ce joli cocktail de couleur pâle, coupez la tranche d'abricot en deux et embrochez les deux morceaux et la cerise sur une pique que vous poserez en équilibre sur le bord du verre.

Coconut Daiquiri

Pour une personne
de la glace pilée
9 cl de liqueur de noix de coco
9 cl de jus de citron vert
4,5 cl de rhum blanc
1 trait de blanc d'œuf
1 rondelle de citron vert pour la décoration

Dans un shaker, versez les ingrédients sur de la glace. Secouez vigoureusement jusqu'à l'apparition de buée sur la timbale. Passez dans un verre à cocktail rafraîchi et décorez avec la rondelle de citron vert.

Daiquiri

Banana Daiquiri

Une improvisation réussie

C'est un ingénieur des mines américain travaillant à Cuba qui inventa le daiquiri, ce grand classique, en 1896. Il attendait des invités importants et improvisa un cocktail avec du rhum parce qu'il avait épuisé ses réserves de gin.

Strawberry Daiquiri

Pour une personne

4,5 cl de rhum blanc
2,5 cl de crème de fraise
2,5 cl de jus de citron
4 fraises mûres et équeutées
de la glace pilée
Pour la décoration
1 tranche de fraise
1 brin de menthe

Mettez dans un mixer le rhum, la crème de fraise, le jus de citron, les fraises et la glace et mélangez à vitesse lente pendant cinq secondes, puis à vitesse rapide pendant vingt secondes. Versez dans un verre rafraîchi et décorez d'une tranche de fraise et d'un brin de menthe.
Ce cocktail fruité est encore plus subtil avec de la crème de fraise des bois.

Frozen Pineapple Daiquiri

Pour une personne

de la glace pilée
2 ou 3 tranches d'ananas
2,5 cl de jus de citron vert
4,5 cl de rhum blanc
1 cuillère à soupe de Cointreau
1 cuillère à café de sirop de sucre de canne
1 morceau d'ananas pour la décoration

Mettez de la glace pilée dans un mixer et ajoutez les tranches d'ananas, le jus de citron vert, le rhum blanc, le Cointreau et le sirop de sucre. Brassez à grande vitesse jusqu'à obtenir une consistance onctueuse. Versez dans un verre à cocktail rafraîchi et décorez d'un morceau d'ananas. Servez avec une paille.

Melon Daiquiri

Pour une personne

9 cl de rhum blanc
4,5 cl de jus de citron vert
2 traits de Midori
2 grosses cuillères à soupe de glace pilée

Passez au mixer, jusqu'à obtention d'un mélange homogène, le rhum blanc, le jus de citron vert, le Midori et la glace pilée. Servez avec des pailles dans un verre ballon rafraîchi.

Strawberry Daiquiri

À savoir

Le Midori est une liqueur de melon japonaise qui se marie bien avec le jus de citron vert et des alcools comme le rhum et la tequila.

Zombie

Pour une personne
3 glaçons brisés
4,5 cl de rhum vieux
4,5 cl de rhum blanc
2,5 cl de rhum paille
2,5 cl d'eau-de-vie d'abricot
le jus d'un demi-citron vert
9 cl de jus d'ananas
2 cuillères à café de sucre glace
Pour la décoration
1 quartier de kiwi
1 cerise confite
1 quartier d'ananas
du sucre glace (facultatif)

Gardez un grand verre au congélateur jusqu'à ce qu'il se couvre de condensation. Dans un shaker, mettez la glace, les rhums, l'eau-de-vie d'abricot, le jus de citron vert, le jus d'ananas et le sucre. Secouez bien et versez dans le verre sans passer. Pour décorer, enfilez le quartier de kiwi, la cerise et l'ananas sur une pique que vous poserez en équilibre sur le bord du verre. Saupoudrez de sucre glace avant de servir.

Trois rhums pour un cocktail
Les cocktails appelés zombies associent les trois types de rhums : le rhum blanc, mûri en cuve inoxydable, et les rhums paille et vieux qui doivent leur couleur à un séjour en fût de chêne.

Havana Zombie

Pour une personne
4 ou 5 glaçons
le jus d'un citron vert
5 cuillères à soupe de jus d'ananas
1 cuillère à café de sirop de sucre de canne
4,5 cl de rhum blanc
4,5 cl de rhum paille
4,5 cl de rhum vieux

Mettez les glaçons dans un verre à mélange, puis versez le jus de citron vert, le jus d'ananas, le sirop de sucre et les rhums. Remuez vigoureusement. Servez sans passer dans un grand verre.

Zombie Christophe

Pour une personne
4 ou 5 glaçons
le jus d'un citron ou d'un citron vert
le jus d'une demi-orange
25 cl de jus d'ananas
4,5 cl de curaçao bleu
4,5 cl de rhum blanc
4,5 cl de rhum paille
2,5 cl de rhum vieux
Pour la décoration
1 tranche de citron ou de citron vert
1 brin de menthe

Dans un verre à mélange, versez sur les glaçons le jus de citron, le jus d'orange, le jus d'ananas, le curaçao et les rhums blanc et paille. Remuez vigoureusement et transvasez sans passer dans un verre tumbler. Arrosez avec le rhum vieux, remuez doucement et servez décoré d'une tranche de citron et d'un brin de menthe.

Zombie Prince

Pour une personne
de la glace pilée
le jus d'un citron
le jus d'une orange
le jus d'un demi-pamplemousse
3 gouttes de bitter Angostura
1 cuillère à café de sucre roux
4,5 cl de rhum blanc
4,5 cl de rhum paille
4,5 cl de rhum vieux
Pour la décoration
des tranches de citron vert
des tranches d'orange

Mettez la glace dans un verre à mélange. Versez les jus de citron, d'orange et de pamplemousse, aspergez avec le bitter, puis ajoutez le sucre et les rhums. Remuez vigoureusement et videz sans passer dans un verre Collins. Décorez avec des tranches de citron vert et d'orange.

Zombie

Zombie Christophe

À savoir

Parfaits pour les *long drinks*, les verres Collins ont la même forme que les highballs, mais sont encore plus hauts. Ils sont généralement droits, mais peuvent aussi avoir des parois légèrement inclinées ou incurvées.

Un secret bien gardé

L'Angostura est un bitter à base d'écorces d'orange et d'herbes aromatiques, dont la recette est gardée secrète. Quelques gouttes suffisent à parfumer un cocktail.

Zombie Prince

Mélanges exotiques

Les cocktails décrits ci-dessous illustrent l'étonnante capacité du rhum à se mélanger à des ingrédients aussi différents que le curaçao d'un St Lucia ou le lait de coco d'un Piña Colada.

Grenada

Pour une personne
4 ou 5 glaçons
le jus d'une demi-orange
4,5 cl de vermouth doux
13,5 cl de rhum paille ou vieux
de la cannelle en poudre

Dans un verre à mélange, versez sur les glaçons le jus d'orange, le vermouth et le rhum. Remuez vigoureusement et passez dans un verre à cocktail rafraîchi. Saupoudrez de cannelle.

Piña Colada

Pour une personne
de la glace brisée
4,5 cl de rhum blanc
9 cl de lait de coco
9 cl de jus d'ananas
Pour la décoration
1 tranche de fraise
1 tranche de mangue
1 tranche d'ananas

Dans un shaker, versez de la glace brisée, puis le rhum, le lait de coco et le jus d'ananas. Secouez légèrement pour mélanger. Passez dans un grand verre et décorez avec les tranches de fruit.

Blue Hawaiian

Pour une personne
de la glace pilée
4,5 cl de rhum blanc
2,5 cl de curaçao bleu
9 cl de jus d'ananas
4,5 cl de crème de noix de coco
1 quartier d'ananas pour la décoration

Mettez de la glace pilée dans un mixer et ajoutez le rhum, le curaçao bleu, le jus d'ananas et la crème de noix de coco. Mélangez à grande vitesse pendant vingt à trente secondes. Versez dans un verre à cocktail rafraîchi et décorez d'un quartier d'ananas.

Grenada

Le curaçao, une boisson antillaise

Le curaçao est un bitter orange produit dans l'île des Antilles néerlandaises dont il porte le nom. Il existe en différentes couleurs, dont un bleu vif artificiel et un miel doré.

Lait de coco

Plus épais que l'eau de coco contenue dans le fruit, le lait de coco est obtenu en diluant avec de l'eau chaude de la pulpe de noix de coco fraîche ou déshydratée.

Blue Hawaiian

Mai Tai
Pour une personne
1 blanc d'œuf légèrement battu
du sucre en poudre
4,5 cl de rhum blanc
2,5 cl de jus d'orange
2,5 cl de jus de citron vert
3 glaçons pilés
Pour la décoration
des cerises confites
des cubes d'ananas
1 rondelle d'orange

Givrez le bord d'un grand verre en le trempant dans le blanc d'œuf battu, puis dans le sucre en poudre. Versez le rhum, le jus d'orange et le jus de citron vert dans un shaker. Agitez. Mettez la glace dans le verre et videz le mélange dessus. Décorez avec les cerises, l'ananas et la rondelle d'orange et servez avec une paille.

Voilà un cocktail qui porte bien son nom : mai tai signifie « bon » en tahitien.

Summertime
Pour une personne
3 glaçons brisés
7 cl de Grand Marnier ou de Cointreau
2,5 cl de rhum vieux
2 cuillères à café de jus de citron
1 rondelle de citron pour la décoration

Mettez les glaçons dans un shaker et ajoutez la liqueur, le rhum et le jus de citron. Secouez vigoureusement. Passez dans un verre à cocktail et décorez avec la rondelle de citron.

Banana Royal
Pour une personne
de la glace pilée
7 cl de lait de coco
13,5 cl de jus d'ananas
7 cl de rhum paille
2,5 cl de crème fraîche épaisse
1 banane mûre
du chocolat râpé pour la décoration

Dans un mixer, mettez de la glace pilée, le lait de coco, le jus d'ananas, le rhum, la crème fraîche et la banane. Mélangez à grande vitesse pendant quinze à trente secondes pour obtenir une texture onctueuse. Versez dans un verre old fashioned et saupoudrez de chocolat râpé.

Port Antonio
Pour une personne
1 demi-cuillère à café de grenadine
4 ou 5 glaçons
4,5 cl de jus de citron vert
13,5 cl de rhum blanc ou paille
Pour la décoration
1 zeste de citron vert
1 cerise confite

Versez délicatement la grenadine au fond d'un verre à cocktail rafraîchi. Mettez les glaçons dans un verre à mélange et ajoutez le jus de citron vert et le rhum. Remuez vigoureusement et passez dans le verre à cocktail. Pour la décoration, enveloppez la cerise avec le zeste et piquez avec un bâtonnet.

Port Antonio

Mai Tai

À savoir

Si le sirop de grenadine ne contient pas toujours de grenade, il a la couleur de ce fruit originaire du pourtour de la Méditerranée.

Oranges et cognac

Le Cointreau et le Grand Marnier sont deux liqueurs obtenues en distillant des écorces d'orange. Le Grand Marnier contient aussi du cognac.

Discovery Bay
Pour une personne
4 ou 5 glaçons
3 gouttes de bitter Angostura
le jus d'un demi-citron vert
1 cuillère à café de curaçao ou de curaçao bleu
1 cuillère à café de sirop de sucre de canne
13,5 cl de rhum paille ou vieux
des tranches de citron vert pour la décoration

Mettez les glaçons dans un shaker, aspergez avec l'Angostura et ajoutez le jus de citron vert, le curaçao, le sirop de sucre et le rhum. Secouez jusqu'à la formation de buée sur la timbale. Passez dans un verre old fashioned et décorez avec des tranches de citron vert.

St Lucia
Pour une personne
4 ou 5 glaçons
4,5 cl de curaçao
4,5 cl de vermouth sec
le jus d'une demi-orange
1 cuillère à café de grenadine
9 cl de rhum blanc ou paille
Pour la décoration
1 spirale de zeste d'orange
1 cerise confite

Mettez les glaçons dans un shaker et ajoutez le curaçao, le vermouth, le jus d'orange, la grenadine et le rhum. Secouez jusqu'à l'apparition de buée. Versez sans passer dans un verre highball. Décorez avec la spirale de zeste d'orange et la cerise.

Astuce
Pour faire une spirale de zeste, enroulez autour d'un mélangeur une lanière découpée à l'aide d'un économe.

Bahamas
Pour une personne
4 ou 5 glaçons
4,5 cl de rhum blanc
4,5 cl de Southern Comfort
4,5 cl de jus de citron
1 trait de crème de banane
1 fine rondelle de citron pour la décoration

Dans un shaker contenant les glaçons, versez le rhum blanc, le Southern Comfort, le jus de citron et la crème de banane. Secouez vigoureusement et passez dans un verre à cocktail rafraîchi. Laissez tomber la rondelle de citron dans la boisson avant de servir.

Serenade
Pour une personne
6 glaçons pilés
4,5 cl de rhum blanc
2,5 cl d'Amaretto di Saronno
2,5 cl de crème de noix de coco
9 cl de jus d'ananas
1 tranche d'ananas pour la décoration

Mettez la moitié de la glace dans un mixer et couvrez avec le rhum, l'Amaretto, la crème de noix de coco et le jus d'ananas. Mélangez pendant vingt secondes. Versez dans un grand verre contenant le reste de la glace. Décorez d'une tranche d'ananas et servez avec une paille

Discovery Bay

À savoir

Le Southern Comfort est une liqueur du Sud des États-Unis à base de bourbon et de pêche.

L'Amaretto est une liqueur italienne sucrée préparée à partir de noyaux d'abricots et parfumée aux amandes et aux plantes aromatiques.

St Lucia

Pussyfoot

Pour une personne
de la glace pilée
7 cl de rhum blanc
4,5 cl de crème fraîche épaisse
4,5 cl de jus d'ananas
4,5 cl de jus de citron vert
4,5 cl de jus de cerise
Pour la décoration
1 morceau d'ananas
1 cerise confite

Dans un mixer contenant de la glace pilée, versez le rhum, la crème fraîche, le jus d'ananas et le jus de cerise. Mélangez à grande vitesse pendant quinze à vingt secondes, puis versez dans un verre tulipe. Décorez d'une brochette composée d'un morceau d'ananas et d'une cerise confite.

À savoir
Ce cocktail fortement dosé en rhum est la version corsée d'un célèbre cocktail sans alcool qui porte aussi le nom de Pussyfoot.

Bombay Smash

Pour une personne
5 glaçons pilés
4,5 cl de rhum vieux
4,5 cl de Malibu
13,5 cl de jus d'ananas
2 cuillères à café de jus de citron
1 cuillère à soupe de Cointreau
Pour la décoration
des cubes d'ananas
1 tranche de citron

Dans un shaker, versez la moitié de la glace, puis le rhum blanc, le Malibu, le jus d'ananas, le jus de citron et le Cointreau. Secouez jusqu'à l'apparition de buée. Passez dans un grand verre contenant le reste de la glace. Décorez de cubes d'ananas et d'une tranche de citron et dégustez avec une paille.

À savoir
La liqueur appelée Malibu contient du rhum et de la noix de coco.

Virgin's Prayer

Pour deux personnes
des glaçons
9 cl de rhum blanc
9 cl de rhum vieux
9 cl de Kalua
2 cuillères à soupe de jus de citron
4 cuillères à soupe de jus d'orange
2 tranches de citron vert pour la décoration

Mettez des glaçons dans un shaker et ajoutez les rhums, le Kalua, le jus de citron et le jus d'orange. Secouez jusqu'à ce que de la buée se forme sur la timbale. Passez le cocktail dans deux verres highball et décorez avec les tranches de citron vert.

À savoir
Le Kalua est une liqueur de café d'origine mexicaine. C'est la liqueur de café la plus vendue dans le monde.

Tropical Dream

Pour une personne
4,5 cl de rhum blanc
4,5 cl de Midori
1 cuillère à soupe de crème de noix de coco
1 cuillère à soupe de jus d'ananas
3 cuillères à soupe de jus d'orange
3 ou 4 glaçons
2,5 cl de crème de banane
1 demi-banane
1 rondelle de banane avec sa peau
pour la décoration

Mettez dans un mixer le rhum blanc, le Midori, la crème de noix de coco, le jus d'ananas, le jus d'orange et les glaçons. Mélangez pendant environ dix secondes. Ajoutez la crème de banane et la demi-banane. Mélangez encore dix secondes. Décorez d'une rondelle de banane et servez avec des pailles.

Pussyfoot

Tropical Dream

Punchs et fizzes

Ces cocktails désaltérants évoquent le sud et le soleil, de La Nouvelle-Orléans à La Havane en passant par la Floride. Ils vous offriront un avant-goût de vacances.

Florida Skies

Pour une personne
de la glace brisée
4,5 cl de rhum blanc
1 cuillère à soupe de jus de citron vert
2,5 cl de jus d'ananas
de l'eau de Seltz
des rondelles de concombre ou de citron vert
pour la décoration

Mélangez au shaker le rhum blanc, le jus de citron vert et le jus d'ananas. Versez dans un grand verre contenant de la glace brisée. Remplissez avec de l'eau de Seltz. Glissez des rondelles de concombre ou de citron vert dans la boisson pour décorer.

À savoir
L'eau de Seltz nécessite un matériel spécifique pour sa préparation, mais elle donne au cocktail une effervescence plus intense qu'une eau gazeuse en bouteille.

Variantes
Pour obtenir un Florida Hurricane, ajoutez 4,5 cl de curaçao et remplacez le jus d'ananas par du jus d'orange. Pour confectionner un Florida, ajoutez 2,5 cl de crème de menthe et décorez d'un brin de menthe.

Cuba Libre

Pour une personne
2 ou 3 glaçons
7 cl de rhum vieux
le jus d'un demi-citron vert
du cola
1 rondelle de citron vert pour la décoration

Dans un grand verre tumbler, versez le rhum et le jus de citron vert sur les glaçons. Mélangez. Remplissez de cola, décorez d'une tranche de citron vert et dégustez à la paille.

Mississippi Punch

Pour une personne
de la glace pilée
3 gouttes de bitter Angostura
1 cuillère à café de sirop de sucre de canne
le jus d'un citron
4,5 cl de cognac
4,5 cl de rhum vieux
9 cl de bourbon ou de scotch

Remplissez un verre highball de glace pilée, arrosez avec le bitter et versez le sirop de sucre et le jus de citron. Mélangez bien. Ajoutez dans l'ordre le cognac, le rhum et le whisky, tournez une fois et servez avec des pailles.

Havana Beach

Pour une personne
1 demi-citron vert
9 cl de jus d'ananas
4,5 cl de rhum blanc
1 cuillère à café de sucre
du ginger ale
1 rondelle de citron vert pour la décoration

Coupez le citron vert en quatre morceaux et passez-le au mixer avec le jus d'ananas, le rhum et le sucre. Quand le mélange est homogène, versez-le dans un verre tulipe ou un grand verre ballon. Complétez avec du ginger ale. Décorez d'une rondelle de citron vert.

À savoir
Le « verre tempête » des Anglais (*hurricane glass*) dont la forme évoque une lampe-tempête est notre verre tulipe.

Florida Skies

Cuba Libre

Havana Beach

Tobago Fizz

Pour une personne
4 ou 5 glaçons
le jus d'un demi-citron ou d'un citron vert
le jus d'une demi-orange
13,5 cl de rhum paille
4,5 cl de crème fraîche liquide
1 demi-cuillère à café de sirop de sucre de canne
de l'eau de Seltz
Pour la décoration
1 tranche d'orange
1 tranche de fraise

Mettez les glaçons dans un shaker et versez les jus de fruits, le rhum, la crème fraîche et le sirop. Secouez jusqu'à la formation de buée sur la timbale et passez dans un verre à pied. Complétez avec de l'eau de Seltz. Pour la décoration, piquez sur un bâtonnet les tranches d'orange et de fraise. Servez avec des pailles.

New Orleans Dandy

Pour une personne
de la glace pilée
4,5 cl de rhum blanc
2,5 cl d'eau-de-vie de pêche
1 trait de jus d'orange
1 trait de jus de citron vert
du champagne

Dans un shaker contenant de la glace pilée, versez le rhum, l'eau-de-vie de pêche et les jus d'orange et de citron vert. Secouez jusqu'à l'apparition de buée. Passez dans une flûte et complétez avec du champagne.

Bahamas Punch

Pour une personne
le jus d'un citron
1 cuillère à café de sirop de sucre de canne
3 gouttes de bitter Angostura
1 demi-cuillère à café de grenadine
13,5 cl de rhum blanc ou paille
1 rondelle d'orange
1 rondelle de citron
de la glace brisée
de la noix de muscade râpée pour la décoration

Mettez dans un verre à mélange le jus de citron, le sirop de sucre, le bitter, la grenadine, le rhum et les rondelles de fruits. Remuez bien et gardez au réfrigérateur pendant trois heures. Pour servir, remplissez un verre old fashioned de glace brisée, versez le punch et décorez de noix de muscade râpée.

Variante

Pour faire un Planter's Punch, remplacez le rhum blanc ou paille par du rhum vieux et le citron par du jus et une rondelle de citron vert et doublez la quantité de grenadine.

Pink Rum

Pour une personne
3 gouttes de bitter Angostura
3 ou 4 glaçons
9 cl de rhum blanc
9 cl de jus de canneberge
4,5 cl d'eau de Seltz
1 rondelle de citron vert pour la décoration

Faites tourner le bitter au fond d'un verre highball, ajoutez les glaçons, puis versez le rhum, le jus de canneberge et l'eau de Seltz. Décorez d'une rondelle de citron vert.

Tobago Fizz

Bahamas Punch

Pink Rum

À savoir

La canneberge, parfois appelée airelle d'Amérique, est une baie acidulée de la famille de la myrtille cultivée aux États-Unis et au Canada.

Golden Rum Punch
Pour 20 personnes
50 g de sucre
1 litre de jus d'ananas
le jus de 6 oranges
le jus de 6 citrons
1 bouteille de rhum paille
1 litre de ginger ale ou d'eau de Seltz
Pour la décoration
**des tranches d'ananas ou d'oranges, des cerises
et des fraises**

Dans un bol à punch, faites fondre le sucre dans le jus d'ananas. Versez le rhum et les jus d'orange et de citron. Mélangez. Ajoutez un gros bloc de glace et laissez refroidir le punch.

Au moment de servir, ajoutez le ginger ale ou l'eau de Seltz. Décorez en surface de tranches d'ananas, d'orange, de cerises, de fraises ou d'autres fruits de saison.

Pink Treasure
Pour une personne
2 glaçons brisés
4,5 cl de rhum blanc
4,5 cl de cherry
du bitter citron ou de l'eau de Seltz (facultatif)
1 zeste de citron pour la décoration

Mettez les glaçons, le rhum et le cherry dans un petit verre. Ajoutez un peu de bitter citron ou d'eau de Seltz. Décorez avec le zeste de citron.

Punch Julien
Pour une personne
le jus de deux citrons verts
4,5 cl de jus d'ananas
3 gouttes de bitter Angostura
1 demi-cuillère à café de grenadine
4,5 cl de rhum paille
13,5 cl de rhum vieux
1 tranche de citron vert
1 tranche de citron
1 tranche d'orange
de la glace brisée
Pour la décoration
de la noix de muscade râpée
1 morceau d'ananas

Versez les jus de citron vert et d'ananas dans un verre à mélange, aspergez de bitter et ajoutez la grenadine, les rhums et les fruits. Remuez bien et gardez au réfrigérateur pendant trois heures. Servez le punch, y compris les tranches d'agrumes, dans un verre old fashioned garni de glace brisée. Saupoudrez de noix de muscade et décorez le bord du verre d'un morceau d'ananas.

Golden Rum Punch

À savoir

Le ginger ale est une boisson gazeuse au gingembre. Elle est connue en France sous le nom de marque Canada Dry.

Punch Julien

À siroter lentement

Le Black Widow pris en apéritif ou l'Island Cream Grog dégusté après une longue randonnée en hiver vous feront découvrir la remarquable profondeur aromatique de ces mélanges musclés.

Alexander Baby
Pour une personne

4 ou 5 glaçons
9 cl de rhum vieux
4,5 cl de crème de cacao incolore
2,5 cl de crème fraîche épaisse
de la noix de muscade râpée en décoration

Mettez les glaçons dans un shaker et versez le rhum, la crème de cacao et la crème fraîche. Secouez jusqu'à la formation de buée, puis passez dans un verre à cocktail rafraîchi. Décorez en surface de noix de muscade râpée.

À savoir
La crème de cacao est une liqueur qui existe en deux versions : marron ou incolore.

Batiste
Pour une personne

4 ou 5 glaçons
4,5 cl de Grand Marnier
9 cl de rhum paille ou vieux

Garnissez de glaçons un verre à mélange, versez le Grand Marnier et le rhum et remuez vigoureusement. Passez dans un verre à cocktail.

Black Widow
Pour une personne

4 ou 5 glaçons
9 cl de rhum vieux
4,5 cl de Southern Comfort
le jus d'un demi-citron vert
1 trait de sirop de sucre de canne
1 rondelle de citron vert pour la décoration

Dans un shaker contenant les glaçons, versez le rhum, le Southern Comfort, le jus de citron vert et le sirop de sucre. Secouez jusqu'à la formation de buée. Passez dans un verre à cocktail rafraîchi et décorez d'une rondelle de citron vert.

Rum Martini
Pour une personne

4 ou 5 glaçons
4,5 cl de vermouth sec
13,5 cl de rhum blanc
1 zeste de citron

Mettez les glaçons dans un verre à mélange et versez le vermouth et le rhum. Remuez vigoureusement, puis passez dans un verre à cocktail rafraîchi. Pressez le zeste de citron au-dessus du verre et laissez le tomber dedans.

Honeysuckle
Pour une personne

4 ou 5 glaçons
9 cl de rhum paille
le jus d'un citron vert
1 cuillère à café de miel liquide

Dans un shaker, versez le rhum et le jus de citron vert sur les glaçons, puis ajoutez le miel. Secouez jusqu'à l'apparition de buée sur la timbale. Passez dans un verre à cocktail.

À savoir
Le miel de fleur d'oranger ou de citronnier parfume très agréablement le cocktail.

Alexander Baby

La grande famille des Alexander

L'Alexander Baby est le cocktail le plus jeune, mais pas le moins corsé, d'une famille de cocktails qui compte l'Alexander, à base de gin, et le Brandy Alexander au cognac.

Batiste

Black Widow

White Witch

Pour une personne

8 ou 10 glaçons
4,5 cl de rhum blanc
2,5 cl de crème de cacao incolore
2,5 cl de Cointreau
le jus d'un demi-citron vert
de l'eau de Seltz
Pour la décoration
1 rondelle d'orange
1 rondelle de citron

Dans un shaker, mettez la moitié des glaçons et versez le rhum, la crème de cacao, le Cointreau et le jus de citron vert. Secouez, puis passez dans un verre old fashioned contenant les autres glaçons. Complétez avec de l'eau de Seltz et mélangez. Décorez avec des rondelles d'orange et de citron vert et servez avec des pailles.

Sunset Tea

Pour deux personnes

20 cl de thé indien fraîchement infusé
2,5 cl de rhum paille
4,5 cl de Cointreau
9 cl de jus d'orange
Pour la décoration
2 quartiers d'orange piqués chacun de 3 clous de girofle
des bâtonnets de cannelle

Répartissez le thé dans deux verres résistant à la chaleur. Dans une petite casserole, à feu doux, faites chauffer le rhum, le Cointreau et le jus d'orange en remuant constamment. Arrêtez juste avant d'atteindre l'ébullition et versez sur le thé. Décorez chaque verre d'un bâtonnet de cannelle et d'un quartier d'orange piqué de clous de girofle.

Heartwarmer

Pour douze personnes

20 cl de jus de raisin rouge
250 g de sucre roux
35 cl de rhum vieux
1,5 l de vin blanc sec
45 cl de vin rouge

Dans une casserole, à feu doux, faites fondre le sucre dans le jus de raisin. Ajoutez le rhum en remuant et mettez de côté. Versez les vins dans un grand récipient et faites-les chauffer sans les porter à ébullition. Incorporez le mélange de rhum et de jus de raisin. Servez chaud.

Between the Sheets

Pour une personne

4 ou 5 glaçons
5,5 cl de cognac
4,5 cl de rhum blanc
2,5 cl de Cointreau
3,5 cl de jus de citron
2,5 cl de sirop de sucre de canne

Versez les ingrédients dans un shaker contenant les glaçons. Secouez jusqu'à l'apparition de buée sur la timbale. Passez dans un verre à cocktail rafraîchi.

Island Cream Grog

Pour une personne

9 cl de rhum
20 cl d'eau bouillante
du sucre à volonté
de la crème fouettée
de la noix de muscade râpée

Chauffez un verre à anse résistant à la chaleur et versez le rhum et l'eau bouillante. Sucrez à votre goût et remuez. Déposez de la crème fouettée en surface et saupoudrez de noix de muscade.

Variante

Pour obtenir un Hot Buttered Rum, mélangez le rhum avec 15 g de beurre avant de verser l'eau bouillante. Ne couvrez pas de crème.

White Witch

Sunset Tea

Island Cream Grog

Les cocktails au gin

CLASSIQUES

DRY MARTINI

CLOVER CLUB

NEW ORLEANS DRY MARTINI

HORSE'S NECK

OPERA

PINK CLOVER CLUB

ALBERMARLE FIZZ

BRONX

WHITE LADY

MAIDEN'S PRAYER

FRENCH '75

MONKEY GLAND

PARADISE

ORANGE BLOSSOM

COOLERS ET FIZZES

GIN SLING

GIN CUP

GIN COOLER

GIN FLORADORA

SEA BREEZE

MORNING GLORY FIZZ

SYDNEY FIZZ

GIN FIX

SINGAPORE GIN SLING

SALTY DOG

HONEYDEW

LIME GIN FIZZ

JOHN COLLINS

PINK GIN

MÉLANGES EXOTIQUES

CROSSBOW

GIN TROPICAL

LONG ISLAND ICED TEA

GOLDEN DAWN

JULIANA BLUE

CHERRY JULEP

BIJOU

NIGHT OF PASSION

SAPPHIRE MARTINI

PEACH BLOW

HONOLULU

BEN'S ORANGE CREAM

BOISSONS CORSÉES

COLLINSON

ALICE SPRINGS

POET'S DREAM

MOON RIVER

RED KISS

KNOCKOUT

KISS IN THE DARK

EARTHQUAKE

BURNSIDES

LUIGI

WOODSTOCK

STORMY WEATHER

Les cocktails au gin

Le fulgurant succès d'une boisson populaire

Produit commercialement depuis plus de quatre siècles, le gin est un alcool de grain qu'une redistillation parfume aux baies de genièvre. Il existe également des variétés de gin aromatisées avec d'autres plantes ou fruits. Né aux Pays-Bas, le gin devint au XVIIIe siècle la boisson des bas-fonds de Londres. Cette boisson qui se prête bien aux mélanges devint respectable quand furent lancés les fizzes et les slings, rafraîchissements de l'époque victorienne. Le gin profita ensuite de la renommée des vedettes de cinéma des années 1920, grandes consommatrices de cocktails.

London dry gin, Plymouth gin, gin néerlandais et sloe gin

Sucrés et très parfumés, les gins des siècles précédents ne répondraient plus aux goûts actuels. La réputation du London dry gin, le « gin sec de Londres », remonte au XIXe siècle. À cette époque, les distillateurs utilisaient pour sa fabrication l'eau pure de villages proches de la capitale britannique comme Clerkenwell et Finsbury. Aujourd'hui, l'appellation « London dry gin », devenue un terme générique, peut s'appliquer à un alcool produit n'importe où dans le monde. Le Plymouth gin, plus aromatique et légèrement plus doux, en revanche, est exclusivement produit à Plymouth. Le gin se décline également en gin néerlandais, le genever à la saveur très marquée, et en sloe gin, excellent digestif à la prunelle, d'un beau rouge vif.

La base idéale des cocktails

Le gin titre de 37,5 à 47,3° et de subtiles différences de goût distinguent les marques entre elles. Cet alcool, qui se marie bien avec d'autres saveurs, ouvre l'appétit et procure au buveur une euphorie immédiate, constitue une base idéale pour la préparation de cocktails. Le gin entre notamment dans la composition du cocktail le plus célèbre, le Dry Martini, très apprécié par Dean Martin, Humphrey Bogart et Ernest Hemingway, entre autres. Le gin a un autre avantage de taille. Il fait partie, avec la vodka, des spiritueux qui contiennent le moins de méthanol, l'alcool méthylique présent dans toutes les boissons alcoolisées et responsable de la « gueule de bois ».

Classiques

Beaucoup de cocktails de cette sélection datent des années 1920 et restent parmi les meilleures boissons à base de gin jamais inventées.

Martini Dry
Pour une personne
5 ou 6 glaçons
2,5 cl de vermouth sec
13,5 cl de gin
1 olive verte

Mettez les glaçons dans un verre à mélange et versez le vermouth et le gin. Tournez (ne secouez jamais) vigoureusement et régulièrement sans éclabousser. Passez dans un verre à cocktail rafraîchi et servez avec une olive verte.

Clover Club
Pour une personne
4 ou 5 glaçons
le jus d'un citron vert
1 demi-cuillère à café de sirop de sucre de canne
1 blanc d'œuf
13,5 cl de gin
Pour la décoration
du zeste de citron vert râpé
1 quartier de citron vert

Dans un shaker contenant les glaçons, versez le jus de citron vert, le sirop de sucre, le blanc d'œuf et le gin. Secouez jusqu'à la formation de buée sur la timbale. Passez dans un verre tumbler et ajoutez en décoration un quartier de citron vert et du zeste râpé.

New Orleans Dry Martini
Pour une personne
5 ou 6 glaçons
2 ou 3 gouttes de Pernod
4,5 cl de vermouth sec
18 cl de gin

Mettez les glaçons dans un verre à mélange et versez le Pernod, puis le vermouth et le gin. Tournez (ne secouez jamais) vigoureusement et régulièrement sans éclabousser. Passez dans un verre à cocktail rafraîchi.

Horse's Neck
Pour une personne
4 à 6 glaçons brisés
7 cl de gin
du ginger ale
une longue spirale de zeste de citron

Dans un grand verre, versez le gin sur les glaçons et complétez avec du ginger ale. Suspendez la spirale de zeste de citron au bord du verre.
Variante
On peut remplacer le gin par du cognac, du rhum ou du whisky. En revanche, la spirale de zeste de citron est indispensable.

Opera
Pour une personne
4 ou 5 glaçons
4,5 cl de Dubonnet
2,5 cl de curaçao
9 cl de gin
1 spirale de zeste d'orange pour la décoration

Mettez les glaçons dans un verre à mélange et versez le Dubonnet, le curaçao et le gin. Tournez régulièrement, puis passez dans un verre à cocktail rafraîchi. Décorez avec la spirale de zeste d'orange.

Martini Dry

Clover Club

Opera

La star des cocktails

Le Martini Dry, le plus célèbre des cocktails, fut inventé en 1910 au Knickerbocker Hotel de New York. Pour la décoration, un zeste de citron remplace parfois l'olive verte.

Pink Clover Club

Pour une personne
4 ou 5 glaçons
le jus d'un citron vert
I trait de grenadine
I blanc d'œuf
13,5 cl de gin
I tranche de fraise pour la décoration

Dans un shaker, versez sur les glaçons le jus de citron vert, la grenadine, le blanc d'œuf et le gin. Secouez jusqu'à la formation de buée. Passez dans un verre à cocktail, posez en surface une tranche de fraise et servez avec une paille.

Albermarle Fizz

Pour une personne
4 à 6 glaçons
4,5 cl de gin
le jus d'un demi-citron
2 traits de sirop de framboise
I demi-cuillère à café de sirop de sucre de canne
de l'eau de Seltz
des cerises confites pour la décoration

Mettez la moitié des glaçons dans un verre à mélange et versez le gin, le jus de citron, le sirop de framboise et le sirop de sucre. Remuez, puis passez dans un verre highball. Ajoutez le reste de la glace et complétez avec de l'eau de Seltz. Décorez d'une brochette formée de deux cerises confites. Servez avec une paille.

Bronx

Pour une personne
de la glace brisée
4,5 cl de gin
4,5 cl de vermouth doux
4,5 cl de vermouth sec
9 cl de jus d'orange

Mettez de la glace brisée dans un shaker et ajoutez le gin, les vermouths, et le jus d'orange. Secouez. Versez dans un petit verre en gardant ou non la glace selon votre préférence.

White Lady

Pour une personne
3 ou 4 glaçons
9 cl de gin
4,5 cl de Cointreau
I cuillère à café de jus de citron
I demi-cuillère à café de blanc d'œuf
I spirale de zeste de citron pour la décoration

Mettez les glaçons, le gin, le Cointreau, le jus de citron et le blanc d'œuf dans un shaker. Mélangez. Passez dans un verre à cocktail et décorez avec la spirale de zeste de citron.

Pink Clover Club

White Lady

Variante

Pour transformer un White Lady en Pink Lady, il suffit de remplacer le Cointreau par une cuillère à café de grenadine.

Maiden's Prayer
Pour une personne
4 ou 5 glaçons
3 gouttes de bitter Angostura
le jus d'un citron
4,5 cl de Cointreau
9 cl de gin

Mettez les glaçons dans un shaker, puis versez l'Angostura, le jus de citron, le Cointreau et le gin. Secouez jusqu'à l'apparition de buée sur la timbale. Passez dans un verre à cocktail et servez avec une paille.

French '75
Pour une personne
de la glace brisée
4,5 cl de gin
le jus d'un demi-citron
1 cuillère à café de sucre en poudre
du champagne (ou un mousseux sec) frappé
1 tranche d'orange pour la décoration

Emplissez à mi-hauteur un grand verre de glace. Ajoutez le gin, le jus de citron et le sucre. Mélangez bien. Complétez avec du champagne frappé et servez décoré d'une tranche d'orange.

« Il fait mouche avec une précision remarquable » affirmait il y a quatre-vingts ans un livre sur les cocktails. C'est toujours vrai !

Monkey Gland
Pour une personne
3 ou 4 glaçons
4,5 cl de jus d'orange
9 cl de gin
3 traits de pernod
3 traits de grenadine

Dans un shaker contenant les glaçons, versez le jus d'orange, le gin, le pernod et la grenadine. Secouez vigoureusement et passez dans un verre à cocktail rafraîchi.

Paradise
Pour une personne
2 ou 3 glaçons brisés
4,5 cl de gin
2,5 cl d'eau-de-vie d'abricot
2,5 cl de jus d'orange
1 trait de jus de citron
Pour la décoration
1 rondelle d'orange
1 rondelle de citron

Mettez les glaçons dans un shaker et ajoutez le gin, l'eau-de-vie d'abricot et les jus d'orange et de citron. Secouez pour mélanger et passez dans un verre à cocktail. Décorez avec les rondelles d'orange et de citron.

Orange Blossom
Pour une personne
4,5 cl de gin
4,5 cl de vermouth doux
4,5 cl de jus d'orange
2 ou 3 glaçons
des tranches d'orange pour la décoration

Versez le gin, le vermouth et le jus d'orange dans un shaker et mélangez. Servez sur les glaçons dans un verre tumbler dont vous décorerez le bord de tranches d'orange.

Maiden's Prayer

French '75

Du temps de la Prohibition

L'Orange Blossom date de la période de la Prohibition où il était parfois appelé Adirondack. Le jus d'orange rendait plus discrète la généreuse proportion d'un alcool souvent frelaté.

Mélanges exotiques

Ces cocktails raffinés flattent le regard autant que le palais en faisant la part belle à des ingrédients colorés comme le curaçao bleu à la couleur de saphir.

Crossbow

Pour une personne
4 ou 5 glaçons
2,5 cl de gin
2,5 cl de crème de cacao
2,5 cl de Cointreau
du chocolat en poudre pour la décoration

Mouillez le bord d'un verre à cocktail rafraîchi et trempez-le dans une soucoupe de chocolat en poudre. Mettez les glaçons, le gin, la crème de cacao et le Cointreau dans un shaker. Secouez vigoureusement et passez dans le verre.

Gin Tropical

Pour une personne
4 à 6 glaçons
7 cl de gin
4,5 cl de jus de citron
4,5 cl de jus de fruit de la passion
2,5 cl de jus d'orange
de l'eau de Seltz
1 spirale de zeste d'orange pour la décoration

Mettez la moitié des glaçons dans un shaker et ajoutez le gin et les jus de fruits. Secouez bien et passez dans un verre old fashioned contenant le reste de la glace. Complétez avec de l'eau de Seltz et remuez doucement. Décorez avec la spirale de zeste d'orange.

Long Island Iced Tea

Pour une personne
8 glaçons
2,5 cl de gin
2,5 cl de vodka
2,5 cl de rhum blanc
2,5 cl de tequila
2,5 cl de Cointreau
4,5 cl de jus de citron
1 demi-cuillère à café de sirop de sucre de canne
du cola
1 tranche de citron pour la décoration

Dans un verre à mélange garni de deux glaçons, remuez bien le gin, la vodka, le rhum blanc, la tequila, le Cointreau, le jus de citron et le sirop de sucre. Passez dans un grand verre que le reste des glaçons remplit presque entièrement. Complétez avec du cola et décorez avec la tranche de citron. Populaire pendant les années 1980, ce mélange d'alcools blancs, de Cointreau et de cola ressemble à du thé glacé, mais il se révèle autrement redoutable.

Golden Dawn

Pour une personne
4 à 5 glaçons
le jus d'une demi-orange
4,5 cl de calvados
4,5 cl d'eau-de-vie d'abricot
13,5 cl de gin
de l'eau de Seltz
1 zeste d'orange pour la décoration

Mettez les glaçons dans un shaker et versez le jus d'orange, le calvados, l'eau-de-vie d'abricot et le gin. Secouez jusqu'à la formation de buée sur la timbale. Passez dans un verre highball et complétez avec de l'eau de Seltz. Décorez avec le zeste d'orange piqué sur un bâtonnet.

Crossbow

Gin Tropical

Juliana Blue
Pour une personne
de la glace pilée
4,5 cl de gin
2,5 cl de Cointreau
2,5 cl de curaçao bleu
9 cl de jus d'ananas
2,5 cl de jus de citron vert
4,5 cl de crème de noix de coco
1 ou 2 glaçons
Pour la décoration
1 morceau d'ananas
des cerises confites

Dans un mixer, versez les alcools et les jus de fruits sur de la glace pilée. Faites tourner à grande vitesse pendant quelques secondes jusqu'à obtention de la texture de la neige. Passez le mélange dans un verre à cocktail contenant les glaçons. Décorez d'une brochette formée d'un morceau d'ananas et de cerises confites.

Cherry Julep
Pour une personne
3 ou 4 glaçons
le jus d'un demi-citron
1 cuillère à café de sirop de sucre de canne
1 cuillère à café de grenadine
4,5 cl de cherry
4,5 cl de sloe gin
9 cl de gin
de la glace brisée
des lamelles de zeste de citron
pour la décoration

Mettez les glaçons dans un shaker et versez le jus de citron, le sirop de sucre, la grenadine, le cherry, le gin à la prunelle et le gin. Secouez jusqu'à l'apparition de buée sur la timbale. Passez dans un verre highball rempli de glace brisée. Décorez de lamelles de zeste de citron.

Bijou
Pour une personne
3 glaçons brisés
4,5 cl de gin
2,5 cl de chartreuse verte
2,5 cl de vermouth doux
1 trait de bitter orange
Pour la décoration
1 olive verte
1 zeste de citron

Dans un verre à mélange contenant la glace, versez le gin, la chartreuse, le vermouth et le bitter. Remuez bien et passez dans un verre à cocktail. Plantez l'olive sur une pique pour l'ajouter en décoration. Pressez le zeste de citron au-dessus du verre avant de l'y laisser tomber.

Night of Passion
Pour une personne
9 cl de gin
4,5 cl de Cointreau
1 cuillère à soupe de jus de citron
9 cl de nectar de pêche
2 cuillères à soupe de jus de fruit de la passion
6 à 8 glaçons

Dans un shaker, versez les ingrédients sur la moitié des glaçons. Mélangez bien. Passez dans un verre old fashioned garni du reste des glaçons.

Juliana Blue

La chartreuse, un secret bien gardé

Plus de cent-trente plantes aromatiques entrent dans la composition, gardée secrète, de la liqueur fabriquée par les moines de la Grande-Chartreuse, près de Grenoble. Elle existe sous deux formes : la chartreuse jaune est moins alcoolisée et plus sucrée que la verte.

Cherry Julep

Sapphire Martini

Pour une personne
4 glaçons
9 cl de gin
2,5 cl de curaçao bleu
I cerise confite rouge ou bleue (facultatif)

Mettez les glaçons dans un shaker, versez le gin et le curaçao et mélangez bien. Passez dans un verre à cocktail et déposez, si vous le souhaitez, une cerise confite dans la boisson.

Peach Blow

Pour une personne
8 glaçons brisés
le jus d'un demi-citron ou d'un citron vert
4 fraises écrasées
I cuillère à café et demie de sucre en poudre
I cuillère à soupe de crème fraîche épaisse
9 cl de gin
de l'eau de Seltz
des tranches de fraise pour la décoration

Dans un shaker, mettez quatre glaçons et le jus de citron, les fraises, le sucre, la crème fraîche et le gin. Secouez bien. Passez dans un grand verre contenant le reste de la glace et complétez avec de l'eau de Seltz. Décorez de tranches de fraise.

Honolulu

Pour une personne
4 ou 5 glaçons
4,5 cl de jus d'ananas
4,5 cl de jus de citron
4,5 cl de jus d'orange
I demi-cuillère à café de grenadine
13,5 cl de gin
Pour la décoration
I tranche d'ananas
I cerise confite

Mettez les glaçons dans un shaker et versez les jus de fruits, la grenadine et le gin. Secouez jusqu'à l'apparition de la buée sur la timbale. Passez dans un verre à cocktail rafraîchi et décorez avec la tranche d'ananas et la cerise.

Ben's Orange Cream

Pour une personne
4 ou 5 glaçons
4,5 cl de Cointreau
4,5 cl de crème fraîche liquide
13,5 cl de gin
I cuillère à café de sirop de sucre de canne
I copeau de chocolat pour la décoration

Mettez les glaçons dans un shaker et versez le Cointreau, la crème fraîche et le gin. Ajoutez le sirop de sucre et secouez jusqu'à l'apparition de buée. Servez dans un grand verre et décorez d'un copeau de chocolat.

Sapphire Martini

Honolulu

Ben's Orange Cream

Coolers et fizzes

Ces *long drinks* désaltérants sont peu alcoolisés. Préparés avec beaucoup de glace et allongés de boisson gazeuse, ils sont idéaux pour les soirées d'été.

Gin Sling

Pour une personne
4 ou 5 glaçons
le jus d'un demi-citron
4,5 cl de cherry
13,5 cl de gin
de l'eau de Seltz
des cerises pour la décoration (facultatif)

Mettez les glaçons dans un shaker et versez le jus de citron, le cherry et le gin. Secouez jusqu'à la formation de buée sur la timbale. Videz sans passer dans un verre tulipe et complétez avec de l'eau de Seltz. Décorez avec des cerises, si la saison le permet, et servez avec des pailles.

Gin Cup

Pour une personne
3 brins de menthe
1 cuillère à café de sirop de sucre
de la glace pilée
le jus d'un demi-citron
13,5 cl de gin
1 brin de menthe pour la décoration

Dans un verre old fashioned, déchiquetez légèrement les brins de menthe en les remuant à la cuillère avec le sirop de sucre. Remplissez le verre de glace pilée, ajoutez le jus de citron et le gin et mélangez jusqu'à l'apparition de buée. Décorez avec un brin de menthe supplémentaire.

Gin Cooler

Pour une personne
3 ou 4 glaçons
1 demi-cuillère à café de grenadine
le jus d'un citron
13,5 cl de gin
de l'eau de Seltz
Pour la décoration
1 cerise confite
1 rondelle de citron

Jetez les glaçons dans un verre highball et versez la grenadine, puis le jus de citron et le gin. Remuez pour obtenir un mélange homogène. Complétez avec de l'eau de Seltz et décorez avec la cerise confite et la rondelle de citron.

Gin Floradora

Pour une personne
4 ou 5 glaçons
1 demi-cuillère à café de sirop de sucre de canne
le jus d'un demi-citron vert
1 demi-cuillère à café de grenadine
9 cl de gin
du ginger ale
1 spirale de zeste de citron pour la décoration

Mettez les glaçons dans un shaker et ajoutez le sirop de sucre, le jus de citron vert, la grenadine et le gin. Secouez jusqu'à l'apparition de buée sur la timbale. Versez sans passer dans un verre tulipe et complétez avec du ginger ale. Décorez avec la spirale de zeste avant de servir.

Gin Sling

Gin Cup

Sea Breeze

Pour une personne
6 à 8 glaçons
2,5 cl de jus de pamplemousse
2,5 cl de jus de canneberge
4,5 cl de vermouth sec
13,5 cl de gin
1 tranche de citron vert pour la décoration

Dans un verre à mélange contenant deux ou trois glaçons, versez le jus de pamplemousse, le jus de canneberge, le vermouth et le gin. Remuez doucement. Passez dans un grand verre rafraîchi garni de quatre ou cinq glaçons. Décorez d'une tranche de citron vert.

Ce cocktail des années 1930 a beaucoup évolué depuis sa création : le jus de canneberge et le jus de pamplemousse ont remplacé la grenadine et le jus de citron. Le Sea Breeze peut également se faire avec de la vodka (voir p. 80).

Morning Glory Fizz

Pour une personne
4 ou 5 glaçons
4,5 cl de jus de citron
1 demi-cuillère à café de sirop de sucre de canne
13,5 cl de gin
1 blanc d'œuf
3 gouttes de pernod
du ginger ale

Jetez les glaçons dans un shaker et versez le jus de citron, le sirop de sucre et le gin. Ajoutez le blanc d'œuf, puis le Pernod et secouez jusqu'à l'apparition de buée sur la timbale. Passez dans un verre old fashioned rafraîchi, complétez avec du ginger ale et servez avec une paille.

Variante
Vous pouvez remplacer le gin par du whisky.

Sydney Fizz

Pour une personne
4 ou 5 glaçons
4,5 cl de jus de citron
4,5 cl de jus d'orange
1 demi-cuillère à café de grenadine
13,5 cl de gin
de l'eau de Seltz
1 rondelle d'orange pour la décoration

Mettez les glaçons dans un shaker et versez les jus de citron et d'orange, la grenadine et le gin. Agitez vigoureusement jusqu'à la formation de buée. Passez dans un verre old fashioned. Complétez avec de l'eau de Seltz et ajoutez la rondelle d'orange avant de servir.

Gin Fix

Pour une personne
de la glace pilée
1 cuillère à soupe de sucre en poudre
le jus d'un quart de citron
4,5 cl d'eau
9 cl de gin
des tranches d'orange et de citron pour la décoration

Emplissez aux deux tiers un grand verre de glace pilée. Ajoutez le sucre, le jus de citron, l'eau et le gin et remuez bien. Décorez le bord du verre avec des tranches d'orange et de citron.

Singapore Gin Sling

Pour une personne
6 à 8 glaçons
le jus d'un demi-citron
le jus d'une demi-orange
4,5 cl de cherry
13,5 cl de gin
3 gouttes de bitter Angostura
de l'eau de Seltz
1 rondelle de citron pour la décoration

Mettez quatre, cinq ou six glaçons dans un shaker, versez les jus de fruits, le cherry et le gin, puis ajoutez le bitter. Secouez jusqu'à la formation de buée. Videz le mélange, sans le passer, dans un verre tulipe contenant deux glaçons supplémentaires. Complétez avec de l'eau de Seltz et décorez avec la rondelle de citron.

Sea Breeze

Singapore Gin Sling

Morning Glory Fizz

À savoir

Les fruits utilisés sous forme de jus ou comme décoration, tiennent souvent une grande place dans les cocktails appelés *fixes* ou *daisies*.

Salty Dog

Pour une personne
2 ou 3 glaçons
I pincée de sel
4,5 cl de gin
9 à I I cl de jus de pamplemousse
I tranche d'orange pour la décoration

Dans un verre old fashioned, saupoudrez les glaçons avec le sel, puis couvrez avec le gin et le jus de pamplemousse. Remuez doucement et ajoutez une rondelle d'orange pour décorer.
Le Salty Dog peut également se faire à base de vodka (p. 70). Le bord du verre est parfois givré au sel comme pour un Margarita (p. 96).

Honeydew

Pour une personne
4,5 cl de gin
2,5 cl de jus de citron
I trait de Pernod
50 g de melon d'Espagne coupé en dés
3 ou 4 glaçons brisés
du champagne

Mélangez au mixer, pendant trente secondes, la glace, le gin, le jus de citron, le Pernod et le melon. Versez dans une grande flûte et complétez avec du champagne.
Le Honeydew est le cocktail idéal pour conclure un brunch : l'association de melon d'Espagne et de gin assure une agréable transition entre les boissons du petit déjeuner et celles du déjeuner.

Lime Gin Fizz

Pour une personne
4 ou 5 glaçons
9 cl de gin
4,5 cl de *lime cordial*
de l'eau de Seltz
des quartiers de citron vert pour la décoration

Mettez les glaçons dans un grand verre, versez le gin et le *lime cordial* et complétez avec de l'eau de Seltz. Ajoutez les quartiers de citron vert et servez avec des pailles.

John Collins

Pour une personne
5 ou 6 glaçons
I cuillère à café de sirop de sucre de canne
4,5 cl de jus de citron
13,5 cl de gin
de l'eau de Seltz
Pour la décoration
I rondelle de citron
I brin de menthe

Dans un shaker, versez sur les glaçons le sirop de sucre, le jus de citron et le gin. Secouez vigoureusement jusqu'à l'apparition de buée. Videz sans passer dans un verre highball. Ajoutez la rondelle de citron et la menthe et complétez avec de l'eau de Seltz. Remuez doucement avant de servir.

Pink Gin

Pour une personne
I à 4 traits de bitter Angostura
4,5 cl de gin
de l'eau glacée

Faites tourner le bitter dans un verre à cocktail de manière à bien napper les parois. Ajoutez le gin, puis de l'eau glacée à volonté.

L'Angostura
Produit depuis le XIXe siècle dans la ville d'Amérique du Sud dont il tire son nom, l'Angostura était à l'origine un breuvage à vocation médicinale. Ce sont des marins anglais qui eurent l'idée de l'ajouter à leur gin. En remplaçant l'Angostura par un bitter orange, on obtient un Yellow Gin.

Salty Dog

Lime Gin Fizz

La grande famille des Collins

Les *long drinks* baptisés Collins associent un alcool, du jus de citron et de l'eau gazeuse. Le plus ancien, le John Collins, avait à l'origine pour base du gin néerlandais. Le Mick Collins est à base de whisky irlandais, le Pierre Collins de cognac et le Pedro Collins de rhum.

Boissons corsées

Ces cocktails aux noms terrifiants, Knockout « K.-O. » ou Earthquake « Tremblement de terre », doivent ête consommés avec une grande modération.

Collinson
Pour une personne
3 glaçons brisés
I trait de bitter orange
4,5 cl de gin
2,5 cl de vermouth sec
I cuillère à soupe de kirsch
I zeste de citron
Pour la décoration
I demi-fraise
I quartier de citron

Mettez les glaçons dans un verre à mélange et ajoutez le bitter, le gin, le vermouth et le kirsch. Remuez et passez dans un verre à cocktail. Pressez le zeste de citron au-dessus du verre et décorez d'une brochette formée d'un quartier de citron et d'une demi-fraise.

Alice Springs
Pour une personne
4 ou 5 glaçons
4,5 cl de jus de citron
4,5 cl de jus d'orange
I demi-cuillère à café de grenadine
13,5 cl de gin
3 gouttes de bitter Angostura
de l'eau de Seltz
I tranche d'orange pour la décoration

Mettez les glaçons dans un shaker et versez le jus de citron, le jus d'orange, la grenadine et le gin. Ajoutez le bitter et secouez jusqu'à la formation de buée. Videz dans un grand verre et complétez avec de l'eau de Seltz. Décorez d'une tranche d'orange et servez avec des pailles.

Poet's Dream
Pour une personne
4 ou 5 glaçons
4,5 cl de bénédictine
4,5 cl de vermouth sec
13,5 cl de gin
I zeste de citron

Dans un verre à mélange contenant les glaçons, versez la bénédictine, le vermouth et le gin. Remuez vigoureusement, mais sans éclabousser. Passez dans un verre à cocktail rafraîchi. Pressez le zeste de citron au-dessus du liquide et laissez-le tomber dedans.

Moon River
Pour une personne
4 ou 5 glaçons
2,5 cl de dry gin
2,5 cl d'eau-de-vie d'abricot
2,5 cl de Cointreau
I cuillère à soupe de Galliano
I cuillère à soupe de jus de citron
I cerise confite pour la décoration

Mettez les glaçons dans un verre à mélange, versez les alcools et le jus de citron, remuez et passez dans un grand verre à cocktail rafraîchi. Décorez avec la cerise confite et servez.

La bénédictine

Cet alcool est fabriqué depuis près de 500 ans selon une recette des moines de l'abbaye de Fécamp. En mélangeant la même quantité de bénédictine et de cognac, on obtient le fameux cocktail B & B.

Collinson

Alice Springs

Red Kiss

Pour une personne
3 glaçons brisés
4,5 cl de vermouth sec
2,5 cl de gin
2,5 cl de cherry
Pour la décoration
1 cerise confite
1 spirale de zeste de citron

Dans un verre à mélange, versez la glace, puis le vermouth, le gin et le cherry. Remuez bien. Passez dans un verre à cocktail rafraîchi et décorez avec la cerise et la spirale de zeste.

Knockout

Pour une personne
4 ou 5 glaçons
4,5 cl de vermouth sec
2,5 cl de crème de menthe incolore
9 cl de gin
1 goutte de pernod
1 tranche de citron pour la décoration

Dans un verre à mélange, versez sur les glaçons le vermouth, la crème de menthe et le gin. Remuez vigoureusement, puis passez dans un verre old fashioned rafraîchi. Ajoutez le pernod et une tranche de citron.

Kiss in the Dark

Pour une personne
4 ou 5 glaçons
4,5 cl de gin
4,5 cl de cherry
1 cuillère à café de vermouth sec

Mettez les glaçons dans un shaker et versez le gin, le cherry et le vermouth sec. Secouez et passez dans un verre à cocktail rafraîchi.

Earthquake

Pour une personne
6 à 8 glaçons
4,5 cl de gin
4,5 cl de whisky
4,5 cl de pernod

Mettez la moitié des glaçons dans un shaker et versez le gin, le whisky et le pernod. Secouez bien. Passez dans un verre à cocktail et ajoutez le reste de la glace.

Le nom de ce redoutable mélange signifie « tremblement de terre ».

Red Kiss

Knockout

La crème de menthe

Elle possède le même goût qu'elle soit verte ou incolore. L'absence de couleur met ici en valeur l'aspect laiteux donné par le pernod.

Burnsides
Pour une personne
8 à 10 glaçons
2 gouttes de bitter Angostura
1 cuillère à café de cherry
4,5 cl de vermouth doux
9 cl de vermouth sec
9 cl de gin
des lamelles de zeste de citron
pour la décoration

Mettez la moitié des glaçons dans un shaker, aspergez avec le bitter et ajoutez le cherry, les vermouths et le gin. Remuez légèrement et passez dans un verre sur le reste de la glace. Décorez avec des lamelles de zeste de citron.

Luigi
Pour une personne
4 ou 5 glaçons
4,5 cl de jus d'orange
4,5 cl de vermouth sec
2,5 cl de Cointreau
4,5 cl de grenadine
9 cl de gin
1 quartier d'orange pour la décoration

Mettez les glaçons dans un verre à mélange et versez le jus d'orange, le vermouth, le Cointreau, la grenadine et le gin. Remuez vigoureusement. Passez dans un verre à cocktail rafraîchi, décorez avec le quartier d'orange et servez.

Woodstock
Pour une personne
2 ou 3 glaçons pilés
4,5 cl de gin
4,5 cl de vermouth sec
1 cuillère à soupe de Cointreau
4,5 cl de jus d'orange
Pour la décoration
1 zeste d'orange
1 rondelle d'orange

Dans un shaker, versez la glace, le gin, le vermouth, le Cointreau et le jus d'orange. Secouez pour mélanger et passez dans un verre à cocktail. Pressez le zeste au-dessus du liquide et décorez avec la rondelle d'orange.

Stormy Weather
Pour une personne
3 glaçons brisés
7 cl de gin
1 cuillère à soupe de Mandarine Impériale
1 cuillère à soupe de vermouth sec
1 cuillère à soupe de vermouth doux
1 spirale de zeste d'orange pour la décoration

Versez la glace dans un shaker, puis ajoutez le gin, la liqueur de mandarine et les vermouths. Secouez et passez dans un verre à cocktail rafraîchi. Décorez le bord du verre avec la spirale de zeste d'orange.

Luigi

Burnsides

La Mandarine
Impériale

Cette liqueur belge portait jadis le
nom de Mandarine Napoléon.

Woodstock

Les cocktails à la vodka

CLASSIQUES

ASTRONAUT

BLOODY MARY

LE MANS

HAIR RAISER

SCREWDRIVER

GODMOTHER

HARVEY WALLBANGER

VODKA SAZERAC

VODKA GIBSON

VODKA COLLINS

INSPIRATION

XANTIPPE

ICEBERG

HAVEN

VODKA SALTY DOG

WHITE SPIDER

WHITE RUSSIAN

BLACK RUSSIAN

MOSCOW MULE

BULLSHOT

VODKA GRASSHOPPER

COCKTAILS DE SOIRÉES

VODKA SOUR

VODKA MARTINI

BLUE CHAMPAGNE

HEAD-OVER-HEELS

MILLENIUM COCKTAIL

BELLINI-TINI

ROAD RUNNER

ONE OF THOSE

SNAPDRAGON

COSMOPOLITAN

MADRAS

MACHETE

VODKA TWISTER FIZZ

DOWN-UNDER FIZZ

VODKA SEA BREEZE

VODKA LIMEADE

VODKA, LIME AND SODA

POLISH HONEY DRINK

WARSAW COCKTAIL

EXOTIQUES ET FRUITÉS

SIAMESE SLAMMER

COOL WIND

CHI CHI

BLUE MOON

CRANBERRY CRUSH

VODKA AND WATERMELON CRUSH

SLOE COMFORTABLE SCREW

FROZEN STEPPES

CREAMSICKLE

VODKA DAIQUIRI

CHERRY VODKA JULEP

MELON BALL

CARIBBEAN CRUISE

SEX ON THE BEACH

VODKA CAIPIRINHA

MUDSLIDE

RUSSIAN COFFEE

HAWAIIAN VODKA

MONKEY'S DELIGHT

HAIRY FUZZY NAVEL

LEMON DROP

KAMIKAZE

Les cocktails à la vodka

Une origine contestée

À l'image de l'Écosse et de l'Irlande qui revendiquent toutes deux l'invention du whisky, la Russie et la Pologne s'opposent sur les origines de la vodka. Les Polonais affirment avoir fabriqué de la vodka dès le VIIIe siècle, mais ils distillaient alors du vin et l'alcool obtenu devait davantage ressembler à du cognac. La potion médicinale appelée *gorzalka* qu'ils consommaient au XIe siècle s'approchait sans doute plus de la vodka actuelle. Les archives russes mentionnent la production de vodka à la fin du IXe siècle, mais l'enregistrement de la première distillerie connue, à Khylnovsk, ne date que de 1174. Le nom lui-même, qui signifie « petite eau », dérive du mot russe *voda* (eau) mais les Polonais utilisent également les termes *woda* et *wodka*.

Un alcool qui s'est bonifié

L'appellation « vodka » ne fut officiellement reconnue qu'après l'apparition en Russie, à la fin du XIXe siècle, de distilleries d'État et de procédés de fabrication normalisés. La vodka de jadis différait beaucoup de celle que nous apprécions aujourd'hui. Issue, traditionnellement, de la fermentation de pommes de terre écrasées, elle était souvent parfumée avec des épices, du miel, des fruits ou des plantes aromatiques afin de masquer ses impuretés et son goût parfois franchement mauvais. L'utilisation de grain ou de molasses au lieu de tubercules, l'introduction de l'alambic au XVe siècle et la filtration au charbon de bois au XVIIIe siècle permirent d'améliorer sa qualité.

De la Russie à l'Amérique

La « boisson nationale russe », selon un ambassadeur britannique du XIVe siècle, fut exportée pour la première fois en Suède en 1505. Elle devint vraiment connue à l'Ouest après la révolution de 1917, quand de nombreux fabricants de vodka furent poussés à l'exil par la nationalisation de leurs entreprises. L'un d'eux, Smirnoff, rejoignit les États-Unis *via* Paris et ouvrit en 1934 la première distillerie américaine de vodka. L'intérêt pour le spiritueux resta faible jusque dans les années 1960 où il devint populaire au sein d'une jeune génération en quête de nouveauté. Cette période vit aussi la redécouverte des cocktails, tombés un peu en défaveur depuis la seconde guerre mondiale.

Vodkas sans parfum ou aromatisées

Les procédés de distillation et de filtration de la vodka occidentale n'éliminent pas uniquement les impuretés, mais aussi le parfum naturel de la vodka. Sans saveur, incolore et inodore, ce spiritueux se mélange merveilleusement avec d'autres alcools et ingrédients. La vodka offre en outre l'avantage de ne pas affecter l'haleine. Jeunes cousins des classiques à base de gin, de whisky et de cognac qui connurent leur âge d'or dans les années 1920, les cocktails à base de vodka ont conquis les bars et les hôtels du monde entier. Les vodkas aromatisées sont aussi redevenues à la mode. Les parfums traditionnels, comme l'orange ou la pêche, peuvent fournir un support intéressant à une riche gamme de recettes, en revanche, les parfums modernes, comme le piment, paraissent plus difficiles à utiliser.

Classiques

Le premier véritable cocktail à la vodka, le Moscow Mule, fut inventé en 1941. Aujourd'hui, il existe de nombreux classiques : le robuste Bloody Mary, le raffiné Vodka Gibson ou encore l'exotique Black Russian.

Astronaut

Pour une personne
8 à 10 glaçons
2,5 cl de rhum blanc
2,5 cl de vodka
2,5 cl de jus de citron
1 trait de jus de fruit de la passion
1 quartier de citron pour la décoration

Garnissez un verre old fashioned de quatre ou cinq glaçons. Mettez-en autant dans un shaker et ajoutez le rhum, la vodka et les jus. Secouez jusqu'à la formation de buée sur la timbale. Passez dans le verre et décorez avec le quartier de citron.

Bloody Mary

Pour une personne
4 ou 5 glaçons
le jus d'un demi-citron
1 demi-cuillère à café de sauce au raifort
2 gouttes de sauce Worcestershire
1 goutte de Tabasco
9 cl de jus de tomate épais
9 cl de vodka
du sel et du poivre de Cayenne
Pour la décoration (facultatif)
1 branche de céleri avec ses feuilles
1 tranche de citron ou de citron vert

Dans un shaker, versez sur les glaçons le jus de citron, la sauce au raifort, la sauce Worcestershire, le Tabasco, le jus de tomate et la vodka. Secouez jusqu'à l'apparition de buée. Videz dans un grand verre et ajoutez une pincée de sel et une pincée de poivre de Cayenne. Selon votre goût, décorez ou non d'une branche de céleri et d'une tranche de citron ou de citron vert.

Le Mans

Pour une personne
2 ou 3 glaçons brisés
4,5 cl de Cointreau
2,5 cl de vodka
de l'eau de Seltz
1 rondelle de citron pour la décoration

Dans un grand verre, versez sur la glace le Cointreau et la vodka. Remuez et complétez avec de l'eau de Seltz. Ajoutez la rondelle de citron en surface.

Hair Raiser

Pour une personne
1 ou 2 glaçons brisés
4,5 cl de vodka
4,5 cl de vermouth doux
4,5 cl de tonic
des spirales de zeste de citron et de citron vert pour la décoration

Mettez la glace dans un grand verre, puis ajoutez la vodka, le vermouth et le tonic. Remuez légèrement. Décorez avec les spirales de zeste et servez avec une paille.

Screwdriver

Pour une personne
2 ou 3 glaçons
7 cl de vodka
du jus d'orange

Dans un verre tumbler, versez la vodka sur les glaçons et complétez avec du jus d'orange. Remuez doucement.

Godmother

Pour une personne
2 ou 3 glaçons brisés
7 cl de vodka
2,5 cl d'Amaretto di Saronno

Dans un verre tumbler, versez la glace, puis la vodka et l'Amaretto. Remuez légèrement.

Astronaut

Bloody Mary

Variante

Pour le cocktail Screwdriver, remplacez le jus d'orange par du jus de pomme et décorez d'un brin de menthe.

Le Bloody Mary et ses dérivés

Il existe de nombreuses variations autour de ce classique inventé à Paris en 1921 au Harry's Bar : le Bloody Mary peut être pimenté ou doux. Quant à la qualité de la vodka... Les experts n'arrivent pas se mettre d'accord pour désigner la meilleure.

Harvey Wallbanger
Pour une personne
6 glaçons
4,5 cl de vodka
13,5 cl de jus d'orange
1 ou 2 cuillères à café de Galliano
des tranches d'orange pour la décoration

Mettez dans un shaker la moitié des glaçons, puis la vodka et le jus d'orange. Secouez vigoureusement pendant une trentaine de secondes et passez dans un grand verre contenant le reste de la glace. Arrosez avec le Galliano. Décorez de tranches d'orange et servez avec des pailles.

Vodka Sazerac
Pour une personne
1 morceau de sucre
2 gouttes de bitter Angostura
3 gouttes de Pernod
2 ou 3 glaçons
9 cl de vodka
de la limonade

Posez le morceau de sucre au fond d'un verre old fashioned et aspergez avec le bitter. Ajoutez le Pernod et faites tourner le verre de manière à en napper l'intérieur d'anisette. Ajoutez les glaçons et versez la vodka. Complétez avec de la limonade et remuez doucement.

Vodka Gibson
Pour une personne
6 glaçons
4,5 cl de vodka
2,5 cl de vermouth sec
1 petit oignon doux pour la décoration

Mettez les glaçons dans un shaker et versez la vodka et le vermouth. Secouez jusqu'à la formation de buée et passez dans un verre à cocktail. Décorez avec un petit oignon doux.

Vodka Collins
Pour une personne
6 glaçons
9 cl de vodka
le jus d'un citron vert
1 cuillère à café de sucre en poudre
de l'eau de Seltz
Pour la décoration
1 tranche de citron ou de citron vert
1 griotte de marasca

Mettez la moitié des glaçons dans un shaker et versez la vodka, le jus de citron vert et le sucre. Secouez jusqu'à la formation de buée. Passez dans un grand verre tumbler, ajoutez les trois autres glaçons et complétez avec de l'eau de Seltz. Décorez avec la tranche de citron et la cerise.

Inspiration
Pour une personne
4 ou 5 glaçons
2,5 cl de bénédictine
2,5 cl de vermouth sec
9 cl de vodka
1 spirale de zeste de citron vert
pour la décoration

Mettez les glaçons dans un verre à mélange et ajoutez la bénédictine, le vermouth et la vodka. Remuez énergiquement et passez dans un verre à cocktail rafraîchi. Décorez avec la spirale de zeste.

Harvey Wallbanger

Vodka Sazerac

Vodka Gibson

Une cerise délicate

La griotte de marasca, ou marasque, est une petite cerise acide des régions méditerranéennes. Elle sert à fabriquer une liqueur appelée marasquin en France et *maraschino* en Italie.

Surf et vodka

Ce cocktail des années 1960 doit son nom à un surfer californien. Harvey but tant de Screwdrivers arrosés de Galliano qu'il eut du mal à sortir du bar. Son pas chancelant le faisait se cogner dans les murs *(to bang the walls)*.

Xantippe
Pour une personne
4 ou 5 glaçons
4,5 cl de cherry
4,5 cl de chartreuse jaune
9 cl de vodka

Dans un verre à mélange, versez les alcools sur les glaçons et remuez vigoureusement. Passez dans un verre à cocktail rafraîchi.

Iceberg
Pour une personne
4 à 6 glaçons
7 cl de vodka
1 trait de Pernod

Dans un verre old fashioned, versez la vodka sur les glaçons et ajoutez un trait de Pernod.

Haven
Pour une personne
2 ou 3 glaçons
1 cuillère à soupe de grenadine
4,5 cl de Pernod
4,5 cl de vodka
de l'eau de Seltz

Garnissez un verre old fashioned avec les glaçons et déposez la grenadine. Versez le Pernod et la vodka. Complétez avec de l'eau de Seltz.

Vodka Salty Dog
Pour une personne
du sel
6 à 8 glaçons
4,5 cl de vodka
18 cl de jus de pamplemousse

Givrez au sel le bord d'un grand verre ballon et remplissez-le de glace. Versez la vodka et le jus de pamplemousse, puis mélangez.

White Spider
Pour une personne
9 cl de vodka
4,5 cl de crème de menthe incolore
de la glace pilée (facultatif)

Mélangez dans un shaker la vodka et la crème de menthe et servez dans un verre à cocktail rafraîchi ou sur de la glace pilée.

Xantippe

Haven

White Russian
Pour une personne
6 glaçons brisés
4,5 cl de vodka
4,5 cl de Tia Maria
4,5 cl de lait ou de crème fraîche épaisse

Versez dans un shaker la moitié de la glace, puis la vodka, le Tia Maria et le lait ou la crème fraîche. Secouez jusqu'à la formation de buée. Passez le mélange dans un grand verre étroit contenant le reste de la glace. Servez avec une paille.

À savoir
Le Tia Maria est une liqueur de café fabriquée à la Jamaïque.

Black Russian
Pour une personne
4 à 6 glaçons brisés
9 cl de vodka
4,5 cl de Kalua
pour la décoration (facultatif)
1 bâtonnet de chocolat

Mettez la glace dans un verre, ajoutez la vodka et le Kalua et remuez. Décorez, si vous aimez, avec un bâtonnet de chocolat.

Moscow Mule
Pour une personne
3 ou 4 glaçons brisés
9 cl de vodka
le jus de 2 citrons verts
de la ginger ale
des rondelles de citron vert ou d'orange
pour la décoration

Mettez la glace dans un shaker, ajoutez la vodka et le jus de citron vert et secouez jusqu'à l'apparition de buée sur la timbale. Versez dans un grand verre, complétez avec de la ginger ale et décorez de rondelles de citron vert ou d'orange.

À savoir
La ginger ale est une boisson légèrement alcoolisée obtenue par la fermentation de gingembre.

Bullshot
Pour une personne
6 glaçons (facultatif)
7 cl de vodka
18 cl de consommé de bœuf (chaud ou froid)
1 trait de sauce Worcestershire
du sel et du poivre

Pour obtenir un Bullshot frappé, mettez les glaçons dans un shaker et ajoutez la vodka, le consommé de bœuf et la sauce Worcestershire. Assaisonnez légèrement avec du sel et du poivre. Mélangez bien et versez dans un grand verre ou dans un verre à anse si vous servez le cocktail chaud.

Variante
Le Bullshot a la réputation d'atténuer la gueule de bois. Pour obtenir une variante de ce cocktail providentiel : remplissez à demi un grand verre de glaçons et ajoutez 4,5 cl vodka, 4,5 cl de jus de tomate et 4,5 cl de consommé de bœuf. Mélangez et ajoutez un trait de citron.

Vodka Grasshopper
Pour une personne
7 cl de vodka
7 cl de crème de menthe verte
7 cl de crème cacao
de la glace pilée

Secouez vigoureusement les trois alcools dans un shaker à demi empli de glace. Passez dans un verre à cocktail rafraîchi.

*White Russian
et Black Russian*

Moscow Mule

Comment utiliser
les stocks

Le Moscow Mule fut inventé en 1941 par l'employé d'une société américaine de distribution de boissons et le propriétaire d'un bar de Los Angeles qui avait trop stocké de ginger ale.

Cocktails de soirées

Les cocktails de cette sélection, du sobre Vodka Martini au pétillant et fruité Bellini-tini, peuvent être servis lors d'une simple réunion entre amis ou pour une réception plus formelle.

Vodka Sour

Pour une personne
4 ou 5 glaçons
9 cl de vodka
2,5 cl de sirop de sucre de canne
1 blanc d'œuf
7 cl de jus de citron
3 gouttes de bitter Angostura pour la décoration

Mettez les glaçons dans un shaker et ajoutez la vodka, le sirop de sucre, le blanc d'œuf et le jus de citron. Secouez jusqu'à la formation de buée. Versez sans passer dans un verre à cocktail et décorez la surface de trois gouttes d'Angostura.

Vodka Martini

Pour une personne
4 ou 5 glaçons brisés
1 cuillère à soupe de vermouth sec
13,5 cl de vodka
pour la décoration
1 olive verte ou une spirale de zeste de citron

Mettez la glace dans un verre à mélange et versez la vodka et le vermouth. Remuez vigoureusement et passez dans un verre à cocktail rafraîchi. Ajoutez l'olive ou décorez avec une spirale de zeste de citron.

Blue Champagne

Pour une personne
4 à 6 glaçons
4,5 cl de vodka
2 cuillères à soupe de jus de citron
2 ou 3 traits de triple sec
2 ou 3 traits de curaçao bleu
du champagne frappé

Jetez les glaçons dans un shaker et versez la vodka, le jus de citron, le triple sec et le curaçao bleu. Secouez bien et passez dans une flûte. Complétez avec du champagne.

Variante
Le Bucked-up Fizz marie, comme le Blue Champagne, vodka et champagne : mélangez dans une flûte 9 cl de jus d'orange et 2,5 cl de vodka et complétez avec du champagne.

Head-over-Heels

Pour une personne
4 ou 5 glaçons
le jus d'un citron vert ou d'un citron
1 cuillère à café de sirop de sucre de canne
13,5 cl de vodka
3 gouttes de bitter Angostura
du champagne
1 fraise pour la décoration

Dans un shaker, versez sur les glaçons le jus de citron, le sirop de sucre, la vodka et le bitter. Secouez jusqu'à la formation de buée. Videz sans passer dans un verre highball, complétez avec du champagne et décorez d'une fraise.

Vodka Sour

Vodka Martini

À savoir
Dans certains cercles, le Vodka Martini porte le nom de Kangaroo.

Le triple sec
Cette liqueur est obtenue en faisant infuser des écorces d'orange dans de l'alcool.

Millenium Cocktail

Pour une personne
4 ou 5 glaçons brisés
4,5 cl de vodka
4,5 cl de jus de framboise
4,5 cl de jus d'orange
18 cl de champagne
(ou de mousseux blanc sec) frappé

Dans un shaker, versez la glace, puis la vodka, le jus de framboise et le jus d'orange. Secouez jusqu'à la formation de buée sur la timbale. Passez dans une flûte et complétez avec le champagne.

Bellini-tini

Pour une personne
4 ou 5 glaçons brisés
9 cl de vodka
2,5 cl de *peach schnapps*
1 cuillère à café de jus de pêche
du champagne
des tranches de pêche pour la décoration

Garnissez de glace un shaker et versez la vodka, le *peach schnapps* et le jus de pêche. Secouez jusqu'à l'apparition de buée sur la timbale. Passez dans un verre à cocktail rafraîchi et complétez avec du champagne. Décorez avec les tranches de pêche.

À savoir
Le *peach schnapps* est une liqueur de pêche du Nord de l'Europe.

Road Runner

Pour une personne
6 glaçons brisés
9 cl de vodka
4,5 cl d'Amaretto di Saronno
4,5 cl de lait de coco
de la noix de muscade râpée pour la décoration

Mettez la glace dans un shaker et ajoutez la vodka, l'Amaretto et le lait de coco. Secouez jusqu'à la formation de buée et passez dans un verre à cocktail. Saupoudrez d'une pincée de noix de muscade râpée.

One of Those

Pour une personne
4 à 6 glaçons
4,5 cl de vodka
18 cl de jus de canneberge
2 traits d'Amaretto di Saronno
le jus d'un demi-citron vert
1 rondelle de citron vert pour la décoration

Mélangez au shaker la vodka, le jus de canneberge, l'Amaretto et le jus de citron vert. Versez dans un verre highball à demi empli de glaçons et décorez avec une rondelle de citron vert.

Snapdragon

Pour une personne
4 à 6 glaçons
9 cl de vodka
18 cl de crème de menthe verte
de l'eau de Seltz
des brins de menthe pour la décoration

Mettez les glaçons dans un verre highball, versez la vodka et la crème de menthe et mélangez. Compétez avec de l'eau de Seltz. Décorez d'un brin de menthe.

Millenium Cocktail

Bellini-tini

Cosmopolitan

Pour une personne
6 glaçons brisés
4,5 cl de vodka
2,5 cl de Cointreau
4,5 cl de jus de canneberge
le jus d'un demi-citron vert
1 rondelle de citron vert pour la décoration

Dans un shaker, versez la glace, puis la vodka, le Cointreau, le jus de canneberge et le jus de citron vert. Secouez jusqu'à la formation de buée. Passez dans un verre à cocktail et décorez avec la rondelle de citron vert.

Madras

Pour une personne
6 à 8 glaçons
4,5 cl de vodka
4,5 cl de jus d'orange
9 cl de jus de canneberge
1 rondelle d'orange ou de citron vert
pour la décoration

Remplissez à mi-hauteur un grand verre de glaçons et versez la vodka, le jus d'orange et le jus de canneberge. Décorez d'une rondelle d'orange ou de citron vert.

Machete

Pour une personne
4 à 6 glaçons
4,5 cl de vodka
9 cl de jus d'ananas
13,5 cl de tonic

Versez la vodka, le jus d'ananas et le tonic dans un verre à mélange. Remuez et videz dans un grand verre ou un verre ballon contenant les glaçons.

Vodka Twister Fizz

Pour une personne
4 ou 5 glaçons
le jus d'un citron
1 demi-cuillère à café de sirop de sucre de canne
1 blanc d'œuf
3 gouttes de pernod
13,5 cl de vodka
du ginger ale
1 tranche de citron vert pour la décoration

Mettez les glaçons dans un shaker. Versez le jus de citron, le sirop de sucre, le blanc d'œuf, le pernod et la vodka et secouez jusqu'à la formation de buée. Videz sans passer dans un verre highball et complétez avec du ginger ale. Remuez légèrement et décorez d'une tranche de citron vert.

Down-under Fizz

Pour une personne
4 ou 5 glaçons
le jus d'un citron
le jus d'une demi-orange
1 demi-cuillère à café de grenadine
13,5 cl de vodka
de l'eau de Seltz

Dans un shaker garni de glaçons, versez les jus de citron et d'orange, puis la grenadine et la vodka. Secouez jusqu'à l'apparition de buée sur la timbale. Videz sans passer dans un verre highball et complétez avec de l'eau de Seltz. Servez avec une paille.

Cosmopolitan

*Vodka Twister Fizz
et Down-Under Fizz*

Vodka Sea Breeze

Pour une personne
5 glaçons pilés
4,5 cl de vodka
7 cl de jus de canneberge
7 cl de jus de pamplemousse
1 rondelle de citron vert pour la décoration

Mettez la glace dans un grand verre, versez la vodka, le jus de canneberge et le jus de pamplemousse et remuez bien. Ajoutez une rondelle de citron vert et servez avec des pailles.
Variante
Pour préparer un Cape Cod, mélangez 4,5 cl de vodka à 9 cl de jus de canneberge et ajoutez un trait de jus de citron.

Vodka Limeade

Pour huit personnes
6 citrons verts
125 g de sucre en poudre
75 cl d'eau bouillante
du sel
36 cl de vodka
des glaçons
des quartiers de citron vert pour la décoration

Coupez les citrons verts en deux et pressez les au-dessus d'une grande carafe. Mettez les écorces pressées dans un récipient à l'épreuve de la chaleur, ajoutez l'eau bouillante et le sucre et laissez infuser pendant quinze minutes. Assaisonnez d'une pincée de sel, mélangez bien et passez dans la carafe. Ajoutez la vodka et six glaçons, couvrez et gardez au réfrigérateur deux heures ou jusqu'à ce que le liquide soit frais. Servez dans des verres contenant chacun trois ou quatre glaçons et décorez d'un quartier de citron vert.

Vodka, Lime and Soda

Pour une personne
6 à 8 glaçons
4,5 cl de vodka
9 cl de *lime cordial* ou de jus de citron vert
de l'eau de Seltz
1 tranche de citron vert pour la décoration

Versez la vodka et le *lime cordial*, ou le jus de citron vert, dans un grand verre rempli à demi de glaçons. Complétez avec de l'eau de Seltz, mélangez et décorez d'une rondelle de citron vert.

Polish Honey Drink

Pour huit personnes
6 cuillères à soupe de miel liquide
30 cl d'eau
4 clous de girofle
7,5 cm de bâton de cannelle
1 gousse de vanille
2 longues lanières de zeste de citron
2 longues lanières de zeste d'orange
1 bouteille de vodka (75 cl)

Dans une casserole, diluez à feu doux le miel dans l'eau. Ajoutez les clous de girofle, la cannelle, la gousse de vanille et les zestes. Portez à ébullition et laissez frémir pendant cinq minutes. Couvrez la casserole, ôtez du feu et gardez à infuser pendant une heure. Passez dans une casserole propre et ajoutez la vodka. À feu doux, réchauffez sans laisser frémir et gardez ainsi pendant cinq minutes. Servez dans des chopes ou des verres à anse chauds.

Warsaw Cocktail

Pour une personne
6 glaçons
4,5 cl de vodka
2,5 cl de liqueur de mûre
2,5 cl de vermouth sec
1 cuillère à café de jus de citron

Mettez les glaçons dans un shaker et ajoutez la vodka, la liqueur, le vermouth et le jus de citron. Secouez jusqu'à la formation de buée. Passez dans un verre à cocktail et servez.

Vodka Sea Breeze

Variante

Le Cosmos est une version plus concentrée du Vodka, Lime and Soda. Dans un shaker à demi rempli de glace, mélangez et frappez 4,5 cl de vodka et 2,5 cl de jus de citron vert. Passez dans un petit verre.

Vodka Limeade

Exotiques et fruités

D ans les cocktais suivants, la vodka se marie avec des fruits, des jus, des liqueurs, de la crème fraîche et de la crème glacée.

Siamese Slammer
Pour 4 personnes
13,5 cl de vodka
le jus de deux oranges
1 petite papaye mûre, épluchée et hachée
1 banane coupée en tranches
le jus d'un citron vert
13,5 cl de sirop de sucre de canne
8 glaçons pilés
4 tranches de papayes pour la décoration

Passez les ingrédients au mixer pour obtenir un mélange homogène. Servez dans de grands verres décorés chacun d'une tranche de papaye.

Cool Wind
Pour une personne
4 ou 5 glaçons
4,5 cl de vermouth sec
le jus d'un demi-pamplemousse
1 demi-cuillère à café de Cointreau
13,5 cl de vodka

Dans un verre à mélange, versez le vermouth, le jus de pamplemousse et le Cointreau sur les glaçons. Remuez doucement et passez dans un verre à cocktail rafraîchi.

Chi Chi
Pour une personne
9 cl de vodka
4,5 cl de crème de noix de coco
18 cl de jus d'ananas
6 glaçons pilés
Pour la décoration
1 tranche d'ananas
1 griotte de marasca

Mettez la vodka, le crème de noix de coco, le jus d'ananas et la glace pilée dans un mixer et mélangez jusqu'à obtenir une texture onctueuse. Versez dans un grand verre et décorez avec la tranche d'ananas et la cerise.

Blue Moon
Pour une personne
5 glaçons brisés
3,5 cl de vodka
3,5 cl de tequila
4,5 cl de curaçao bleu
de la limonade

Mettez la moitié de la glace dans un verre à mélange et ajoutez la vodka, la tequila et le curaçao bleu. Remuez et passez dans un grand verre contenant le reste de la glace. Complétez avec de la limonade et servez avec une paille.

Cranberry Crush
Pour dix personnes
60 cl de jus de canneberge
60 cl de jus d'orange
15 cl d'eau
1 demi-cuillère à café de gingembre moulu
1 demi-cuillère à café de *mixed spice* (poivre de la Jamaïque, cannelle, clous de girofle, noix de muscade, gingembre)
du sucre
une bouteille de vodka (75 cl)
Pour la décoration
des kumquats
des canneberges
des brins de menthe

Versez dans une casserole le jus de canneberge, le jus d'orange et l'eau, saupoudrez avec le gingembre et le *mixed spice* et portez à ébullition sur un feu doux. Sucrez à votre goût en remuant, puis laissez frémir cinq minutes. Ôtez du feu et ajoutez la vodka. Servez dans des tasses à punch et décorez avec des kumquats, des canneberges et des brins de menthe. Le Cranberry Crush peut aussi être bu glacé.

Siamese Slammer

Cranberry Crush

Vodka and Watermelon Crush

Pour deux ou trois personnes
I grosse tranche ou 2 petites tranches
de pastèque mûre et froide
30 cl de jus d'orange
le jus d'un citron vert
13,5 cl de vodka
du sucre
de la glace pilée
des quartiers de pastèque pour la décoration

Coupez la pastèque en morceaux et ôtez la peau et les pépins. Mettez la chair dans un mixer avec le jus d'orange, le jus de citron vert et la vodka. Sucrez à votre goût et brassez jusqu'à obtenir une consistance onctueuse. Servez dans deux ou trois verres garnis de glace pilée et décorés d'un quartier de pastèque.

Sloe Comfortable Screw

Pour une personne
6 à 8 glaçons
2,5 cl de sloe gin
2,5 cl de Southern Comfort
4,5 cl de vodka
11,5 cl de jus d'orange

Emplissez à demi un grand verre de glaçons, ajoutez le sloe gin, le Southern Comfort, la vodka et le jus d'orange et mélangez bien.

Variante

Si vous arrosez de Galliano le mélange ci-dessus, vous obtiendrez un Sloe Comfortable Screw Up Against the Wall. Ce cocktail doit la seconde partie de son nom à l'endroit où les barmans ont l'habitude de ranger la bouteille de Galliano : en haut sur le mur.

Frozen Steppes

Pour une personne
4,5 cl de vodka
4,5 cl de crème de cacao marron
I boule de crème glacée à la vanille
I griotte de marasca pour la décoration

Mettez la vodka, la crème de cacao et la crème glacée dans un mixer et mélangez pendant quelques secondes. Servez dans un grand verre ballon et décorez avec la cerise.

Creamsickle

Pour une personne
6 glaçons brisés
4,5 cl de vodka
4,5 cl de triple sec
4,5 cl de crème de cacao incolore
4,5 cl de crème fraîche liquide

Garnissez de glace un shaker et ajoutez la vodka, le triple sec, la crème de cacao et la crème fraîche. Secouez jusqu'à la formation de buée, puis servez dans un verre highball.

Vodka Daiquiri

Pour une personne
6 glaçons brisés
4,5 cl de vodka
I cuillère à café de sucre
le jus d'un demi-citron ou d'un citron vert

Versez dans un shaker la glace, la vodka, le sucre et le jus de citron. Secouez jusqu'à la formation de buée. Passez dans un verre à cocktail.

Vodka and Watermelon Crush

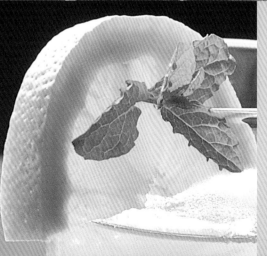

Variante

Pour obtenir la version givrée du Vodka Daiquiri, versez dans un mixer la vodka, le sucre et le jus sur une poignée de glace pilée. Mélangez quelques secondes à petite vitesse, puis à grande vitesse jusqu'à l'obtention d'une texture ferme.

Décorez d'une tranche de citron vert et d'une cerise et servez avec une paille.

Cherry Vodka Julep

Pour une personne

8 glaçons brisés
le jus d'un demi-citron
1 cuillère à café de sucre ou de sirop de sucre
de canne
1 cuillère à café de grenadine
4,5 cl de cherry
13,5 cl de vodka
4,5 cl de sloe gin
Pour la décoration
1 rondelle de citron
1 rondelle d'orange

Mettez trois ou quatre glaçons dans un verre à mélange et ajoutez le jus de citron, le sucre ou le sirop de sucre, la grenadine, le cherry, la vodka et le sloe gin. Remuez, puis passez dans un verre rempli de glace brisée. Décorez avec les rondelles de fruits.

Melon Ball

Pour une personne

5 glaçons brisés
4,5 cl de vodka
4,5 cl de Midori
du jus d'orange
Pour la décoration
1 rondelle d'orange
1 bille de banane

Mélangez au shaker la vodka, le Midori et 4,5 cl de jus d'orange. Versez dans un grand verre contenant la glace. Complétez avec du jus d'orange, si nécessaire, et décorez avec une brochette formée de la rondelle d'orange et de la bille de banane. Servez avec des pailles.

Caribbean Cruise

Pour une personne

10 à 12 glaçons
4,5 cl de vodka
1 cuillère à soupe de rhum blanc
1 cuillère à soupe de rhum parfumé
à la noix de coco
1 trait de grenadine
9 cl de jus d'ananas
1 tranche d'ananas pour la décoration

Mettez la moitié des glaçons dans un shaker et ajoutez la vodka, le rhum, le rhum à la noix de coco et le trait de grenadine. Secouez jusqu'à la formation de buée. Passez dans un grand verre à demi empli de glaçons et complétez avec le jus d'ananas. Décorez avec la tranche d'ananas.

Sex on the Beach

Pour une personne

3 glaçons
2,5 cl de vodka
2,5 cl de *peach schnapps*
4,5 cl de jus de canneberge
4,5 cl de jus d'orange
4,5 cl de jus d'ananas (facultatif)
1 griotte de marasca pour la décoration

Dans un shaker contenant les glaçons, versez la vodka, le *peach schnapps*, le jus de canneberge, le jus d'orange et le jus d'ananas, si vous l'utilisez. Secouez jusqu'à l'apparition de buée sur la timbale. Videz dans un grand verre, décorez avec la cerise et servez avec une paille.

Melon Ball

Vodka Caipirinha
Pour une personne
6 quartiers de citron vert
2 cuillères à café de sucre roux
9 cl de vodka
de la glace pilée

Mettez trois quartiers de citron vert dans un grand verre old fashioned ou un tumbler et ajoutez le sucre roux et la vodka. Mélangez bien en écrasant légèrement le citron vert pour qu'il rende un peu de jus. Couvrez de glace pilée et déposez à la surface, en décoration, les trois derniers quartiers d'agrume.

Mudslide
Pour une personne
10 glaçons brisés
4,5 cl de vodka
4,5 cl de Kalua
4,5 cl de Baileys Original Irish Cream

Mettez 6 glaçons brisés dans un shaker, puis versez la vodka, le Kalua et le Baileys. Secouez jusqu'à la formation de buée, passez dans un verre tumbler et ajoutez le reste de la glace.

Russian Coffee
Pour une personne
2,5 cl de vodka
2,5 cl de liqueur de café
2,5 cl de crème fraîche épaisse
de la glace pilée

Versez la vodka, la liqueur de café, la crème fraîche et la glace pilée dans un shaker et mélangez pendant environ quinze secondes. Passez dans un verre à cocktail et servez.

Hawaiian Vodka
Pour une personne
4 ou 5 glaçons
4,5 cl de jus d'ananas
le jus d'un citron
le jus d'une orange
1 cuillère à café de grenadine
13,5 cl de vodka
1 tranche de citron pour la décoration

Dans un shaker contenant les glaçons, versez le jus d'ananas, le jus de citron, le jus d'orange, la grenadine et la vodka. Secouez jusqu'à la formation de buée. Passez dans un verre tumbler, décorez d'une tranche de citron et servez avec une paille.

Vodka Caipirinha

Hawaiian Vodka

À savoir

Le Vodka Caipirinha est une variation à la vodka d'un cocktail préparé traditionnellement avec de la cachaça, le rhum brésilien.

Le Baileys est une liqueur à la crème, au whisky irlandais et au chocolat.

Avant de boire, les Russes et les Polonais lancent le même toast traditionnel : Na zdrowie ! « Santé ! »

Monkey's Delight

Pour une personne

4,5 cl de vodka
2,5 cl de crème de banane
2,5 cl de crème de cacao marron
1 banane
2 boules de crème glacée à la vanille
2,5 cl de crème fraîche liquide

Mettez dans un mixer la crème de banane, la crème de cacao, les trois quarts de la banane, la crème glacée et la crème fraîche. Mélangez jusqu'à obtenir une texture onctueuse. Versez dans un grand verre. Utilisez le reste de la banane, coupé en tranches, pour la décoration.

Hairy Fuzzy Navel

Pour une personne

6 glaçons brisés
4,5 cl de *peach schnapps*
7 cl de vodka
1 cuillère à soupe de jus d'orange

Mettez la glace brisée dans un shaker et ajoutez le *peach schnapps*, la vodka et le jus d'orange. Secouez jusqu'à la formation de buée, puis passez dans un verre à cocktail.

Variante

En mélangeant les ingrédients de l'Hairy Fuzzy Navel, à l'exception de la vodka, vous obtiendrez un Fuzzy Navel.

Lemon Drop

Pour une personne

6 glaçons brisés
4,5 cl de vodka
1 quartier de citron
du sucre

Frappez la vodka en la secouant dans un shaker avec la glace. Passez dans un petit verre. Trempez le quartier de citron dans du sucre. Buvez cul sec et sucez tout de suite le citron.

Kamikaze

Pour une personne

6 glaçons brisés
2,5 cl de vodka
2,5 cl de triple sec
2,5 cl de jus de citron vert

Mettez la glace dans un shaker et ajoutez la vodka, le triple sec et le jus de citron. Secouez jusqu'à la formation de buée, puis passez dans un petit verre.

Kamikaze

Les cocktails à la tequila

MARGARITAS

MARGARITA

CADILLAC

FLORECIENTE

PINK CADILLAC CONVERTIBLE

COBALT MARGARITA

PLAYA DEL MAR

RUBY RITA

FOREST FRUIT

MARACUJA

CLASSIQUES

SOUTH OF THE BORDER

TEQUINI

ALLELUIA

MEZCARITA

SOUR APPLE

CHAPALA

ANANAS AND COCO

HONEY WATER

BLOODY MARIA

MOCKINGBIRD

FROZEN STRAWBERRY

JAPANESE SLIPPER

PANCHO VILLA

TEQUILA SUNSET

COCO LOCO

LONGS ET FRAIS

TEXAS TEA

MATADOR

MEXICOLA

TIJUANA SLING

AGAVE JULEP

EL DIABLO

SUNBURN

ROSARITA BAY BREEZE

TEQUILA SUNRISE

GOLD DIGGER

ROOSTER BOOSTER

MEXICANA

THAI SUNRISE

BAJA SOUR

PEPPER EATER

BROOKLYN BOMBER

TEQUILA DE COCO

JALISCO SWIZZLE

ACAPULCO

DESERT DAISY

ONCTUEUX ET EXOTIQUES

SILK STOCKING

BRAVE BULL

SOMBRERO

MEXICAN BULLDOG

ACAPULCO BLISS

FROSTBITE

Les cocktails à la tequila

La tequila, alcool mexicain, est une eau-de-vie tirée de la distillation du fruit de l'agave bleu, une plante de la famille des amaryllis. Cet alcool à la douce âpreté se boit nature selon un rituel bien précis ou en cocktail.

Du *pulque* à la tequila

La première boisson tirée de l'agave, le *pulque*, date de l'époque préhispanique et est toujours consommée aujourd'hui. Issu de la fermentation de la sève de la plante, le *pulque* n'a qu'une faible teneur en alcool. Les Espagnols qui conquirent l'Amérique centrale au début du XVIe siècle parvinrent à fabriquer une eau-de-vie à partir de l'agave : l'*aguardiente de agave*. À la fin du XVIIIe siècle, la meilleure région de production se trouvait dans l'État de Jalisco autour de la ville de Tequila, au cœur du Mexique. La culture commerciale de l'agave commença pendant la deuxième moitié du XIXe siècle : en 1880, le Mexique comptait une douzaine de distilleries.

Une renommée mondiale

Les États-Unis devinrent et sont restés le premier importateur mondial de tequila. Le reste du monde ne découvrit vraiment la tequila qu'au milieu des années 1960. La rapide augmentation de la demande imposa la mise en place d'une réglementation. Aujourd'hui, l'eau-de-vie d'agave doit provenir de l'État de Jalisco et répondre à des normes de fabrication strictes.

Plusieurs sortes de tequilas

Il existe plusieurs sortes de tequilas. La tequila blanco, résultat direct de la distillation, est transparente. La tequila reposado, appelée aussi tequila gold, vieillit quelques mois en fût de chêne. La tequila añejo peut avoir plus de dix ans de mûrissement. Le mezcal, alcool moins raffiné que la tequila est également tiré de l'agave. Le mezcal con gusano contient une chenille.

Boire la tequila à la mexicaine

Les Mexicains ont une manière traditionnelle bien particulière de boire la tequila. Ils lèchent une pincée de sel déposée sur le dos de leur main, vident un petit verre cul sec et mordent dans un quartier de citron ou de citron vert. Il leur arrive aussi d'alterner les gorgées d'alcool avec des gorgées de sangrita, un jus de tomate très épicé.

L'histoire du Margarita

Le sel est également utilisé pour givrer le bord du verre lors de la confection d'un Margarita. Ce célèbre cocktail, délicieux mélange de tequila, de Cointreau et de jus de citron vert est né à la fin des années 1930 au bar de l'hôtel Rancho la Gloria à Tijuana. Danny Herrera l'aurait inventé pour l'actrice Marjorie King qui détestait tous les autres alcools. Il le baptisa du prénom espagnol correspondant à Marjorie.

Margaritas

L e plus célèbre des cocktails à base de tequila est si bon qu'il a inspiré de nombreuses variations.

Margarita

Pour une personne
3 quartiers de citron vert
du sel de mer fin
5,5 cl de tequila
3,5 cl de Cointreau
5,5 cl de jus de citron vert
4 ou 5 glaçons
1 rondelle de citron vert pour la décoration

Givrez le bord d'un verre à cocktail rafraîchi en le frottant avec l'un des quartiers de citron vert, puis en le trempant dans le sel. Versez la tequila, le Cointreau et le jus de citron vert dans un shaker où vous presserez les deux derniers quartiers d'agrume de manière à extraire non seulement leur jus, mais aussi les essences des zestes. Laissez tomber les zestes dans le shaker, ajoutez les glaçons et secouez vigoureusement pendant une dizaine de secondes. Passez dans le verre et décorez d'une rondelle de citron vert.

Cadillac

Pour une personne
3 quartiers de citron vert
du sel de mer fin
4 ou 5 glaçons
5,5 cl de tequila reposado
2,5 cl de Cointreau
5,5 cl de jus de citron vert
2 cuillères à café de Grand Marnier
1 tranche de citron vert pour la décoration

Givrez le bord d'un verre à cocktail rafraîchi en l'humidifiant avec l'un des quartiers de citron vert, puis en le trempant dans le sel. Versez la tequila, le Cointreau et le jus de citron vert dans un shaker. Pressez les deux derniers quartiers d'agrume de manière à extraire aussi les essences des zestes et laissez-les tomber dans le shaker. Ajoutez les glaçons et secouez vigoureusement pendant une dizaine de secondes. Passez le mélange dans le verre. Aspergez avec le Grand Marnier et décorez d'une tranche de citron vert.

Floreciente

Pour une personne
1 tranche d'orange
du sel de mer fin
de la glace pilée
5,5 cl de tequila reposado
3,5 cl de Cointreau
3,5 cl de jus de citron
3,5 cl de jus d'orange sanguine
1 quartier d'orange sanguine pour la décoration

Givrez le bord d'un verre old fashioned de 30 cl en le frottant avec une tranche d'orange, puis en le trempant dans le sel. Remplissez le verre de glace pilée. Versez la tequila, le Cointreau, le jus de citron et le jus d'orange sanguine dans un shaker, secouez vigoureusement pendant une dizaine de secondes et passez dans le verre. Décorez avec le quartier d'orange sanguine.

Cadillac

Original Margarita

Floreciente

Pink Cadillac Convertible

Pour une personne
3 quartiers de citron vert
du sel de mer fin
des glaçons
5,5 cl de tequila reposado
2,5 cl de Cointreau
3,5 cl de jus de citron vert
3,5 cl de jus de canneberge
3,5 cl de Grand Marnier
I quartier de citron vert pour la décoration

Givrez le bord d'un verre old fashioned de 30 cl en le frottant avec l'un des quartiers de citron vert, puis en le trempant dans le sel. Remplissez le verre de glaçons. Versez la tequila, le Cointreau, le jus de citron vert et le jus de canneberge dans un shaker. Ajoutez le jus des deux derniers quartiers d'agrume et les essences de leurs zestes. Jetez ces zestes et quatre ou cinq glaçons dans le shaker et secouez vigoureusement pendant une dizaine de secondes. Passez dans le verre et décorez avec un quartier de citron vert. Servez le Grand Marnier à part dans un verre à liqueur pour qu'il puisse être versé sur le cocktail juste avant de boire.

Cobalt Margarita

Pour une personne
I quartier de citron vert
du sel de mer fin
5,5 cl de tequila
2 cuillères à café de Cointreau
2,5 cl de curaçao bleu
3,5 cl de jus de citron vert
3,5 cl de jus de pamplemousse
4 ou 5 glaçons
I spirale de zeste de citron vert
pour la décoration

Givrez le bord d'un verre à cocktail rafraîchi en le frottant avec l'un des quartiers de citron vert, puis en le trempant dans le sel. Versez la tequila, le Cointreau, le curaçao bleu, le jus de citron et le jus de pamplemousse dans un shaker. Ajoutez les glaçons et secouez vigoureusement pendant une dizaine de secondes. Passez dans le verre et décorez d'une spirale de zeste de citron vert.

Playa del Mar

Pour une personne
I rondelle d'orange
I mélange de sucre roux et de sel marin
des glaçons
5,5 cl de tequila reposado
3,5 cl de Grand Marnier
2 cuillères à café de jus de citron vert
3,5 cl de jus de canneberge
3,5 cl de jus d'ananas
Pour la décoration
I morceau d'ananas
I spirale de zeste d'orange

Givrez le bord d'un verre à sling en le frottant avec la rondelle d'orange puis en le trempant dans le mélange de sucre roux et de sel. Remplissez le verre de glaçons. Versez la tequila, le Grand Marnier, le jus de citron vert, le jus de canneberge et le jus d'ananas dans un shaker. Remplissez de glaçons et secouez vigoureusement pendant une dizaine de secondes. Passez dans le verre et décorez avec le morceau d'ananas et la spirale de zeste d'orange.

Pink Cadillac Convertible

Cobalt Margarita

Playa del Mar

Ruby Rita
Pour une personne

5,5 cl de jus de pamplemousse rosé
du sel de mer fin
des glaçons
5,5 cl de tequila reposado
3,5 cl de Cointreau
1 quartier de pamplemousse rosé
pour la décoration

Givrez le bord d'un verre old fashioned de 30 cl avec du jus de pamplemousse rosé et du sel. Remplissez le verre de glaçons. Versez la tequila, le Cointreau et le jus de pamplemousse dans un shaker, ajoutez de la glace et secouez vigoureusement. Passez dans le verre et décorez avec un quartier de pamplemousse rosé.

Forest Fruit
Pour une personne

1 quartier de citron vert
du sucre roux
2 mûres
2 framboises
2 cuillères à café de Chambord
2 cuillères à café de crème de mûre
5,5 cl de tequila
2 cuillères à café de Cointreau
5,5 cl de jus de citron vert
de la glace pilée
Pour la décoration
des tranches de citron
1 mûre
1 framboise

Givrez le bord d'un verre old fashioned en le frottant avec un quartier de citron vert et en le trempant dans le sucre roux. Mettez les framboises et les mûres dans le verre et écrasez-les avec une cuillère ou un pilon en porcelaine. Mélangez le Chambord et la crème de mûre à la pulpe obtenue. Ajoutez la tequila, le Cointreau et le jus de citron. Remplissez de glace pilée et remuez doucement en faisant remonter le fond. Décorez avec des tranches de citron, une mûre et une framboise

Maracuja
Pour une personne

1 fruit de la passion mûr
5,5 cl de tequila reposado
1 cuillère à soupe de Shrubb
3,5 cl de jus de citron vert
2 cuillères à café de Cointreau
1 cuillère à café de sirop de fruit de la passion
4 ou 5 glaçons
1 coqueret du Pérou (groseille du Cap)
la décoration

Coupez le fruit de la passion en deux et videz avec une cuillère sa chair dans un shaker. Ajoutez la tequila, le Shrubb, le jus de citron vert, le Cointreau, le sirop de fruit de la passion et les glaçons. Secouez vigoureusement pendant dix secondes. Filtrez avec une passoire fine dans un verre à cocktail rafraîchi. Décorez avec un coqueret du Pérou.

uby Rita

À savoir

Le Chambord est une liqueur de framboise.

Le Shrubb est un rhum parfumé à l'écorce d'orange d'une belle couleur ambre.

Pour que le cocktail Maracuja soit réussi, il est important d'utiliser un fruit de la passion vraiment mûr.

Forest Fruit

Maracuja

Classiques

Ces délicieux mélanges, très variés, illustrent à quel point la tequila se prête bien aux cocktails.

South of the Border
Pour une personne
5,5 cl de tequila
3,5 cl de Kalua
5,5 cl de jus de citron vert
4 ou 5 glaçons
Pour la décoration
1 quartier de citron vert
du sucre roux
du café moulu

Versez la tequila, le Kalua et le jus de citron vert dans un shaker. Ajoutez les glaçons et secouez vigoureusement pendant dix secondes. Passez dans un verre à cocktail rafraîchi. Pour la décoration, prenez un quartier de citron vert et pressez un côté dans une soucoupe de sucre roux et l'autre dans du café moulu. Servez à part.

Tequini
Pour une personne
des glaçons
3 traits de bitter orange
7,5 cl de tequila blanco
2 cuillères à café de vermouth sec français, prendre de préférence du Noilly Prat
1 olive noire pour la décoration

Remplissez de glaçons un verre à mélange, puis ajoutez le bitter orange et la tequila. Remuez doucement pendant dix secondes. Nappez avec le vermouth l'intérieur d'un verre à cocktail rafraîchi et videz l'excédent. Remuez le bitter et la tequila pendant encore dix secondes et passez dans le verre. Décorez avec une grosse olive noire.

Alleluia
Pour une personne
3,5 cl de tequila
2,5 cl de curaçao bleu
2 cuillères à café de sirop de griotte de marasca
1 trait de blanc d'œuf
3,5 cl de jus de citron vert
des glaçons
10 cl de bitter citron
Pour la décoration
1 rondelle de citron
1 griotte de marasca
1 brin de menthe

Versez la tequila, le curaçao bleu, le sirop de marasque, le blanc d'œuf et le jus de citron vert dans un shaker. Ajoutez quatre ou cinq glaçons et secouez vigoureusement. Passez dans un verre highball de 35 cl rempli de glaçons. Complétez avec le bitter citron et remuez doucement. Décorez avec la rondelle de citron, la cerise et un brin de menthe.
Astuce
Utilisez le sirop d'un bocal de griottes de marasca.

Mezcarita
Pour une personne
1 quartier de citron
du sel pimenté
5,5 cl de mezcal
3,5 cl de Cointreau
5,5 cl de jus de citron
4 ou 5 glaçons
1 spirale de zeste de citron pour la décoration

Givrez le bord d'un verre à cocktail rafraîchi en le frottant avec le quartier de citron et en le trempant dans le sel pimenté. Versez le mezcal, le Cointreau et le jus de citron dans un shaker, ajoutez les glaçons et secouez vigoureusement. Passez dans le verre et décorez avec la spirale de zeste de citron.

South of the Border

Tequini

Le Martini mexicain

Dans le Tequini, cet équivalent mexicain du Martini, la tequila remplace le gin et le bitter orange apporte une touche exotique. C'est l'un des rares cocktails décorés d'une olive noire plutôt que verte.

Sour Apple
Pour une personne
5,5 cl de tequila
2 cuillères à café de Cointreau
I cuillère à soupe d'*apple schnapps*
3,5 cl de jus de citron vert
3,5 cl de jus de pomme brut
4 ou 5 glaçons
I quartier de pomme Granny Smith
pour la décoration

Dans un shaker, versez la tequila, le Cointreau, le schnaps de pomme et les jus de fruits, ajoutez les glaçons et secouez vigoureusement pendant dix secondes. Passez dans un verre à cocktail rafraîchi et décorez avec le quartier de pomme.

Chapala
Pour une personne
5,5 cl de tequila
3,5 cl de Cointreau
3,5 cl de jus de citron
3,5 cl de jus d'orange
2 cuillères à café de grenadine
I spirale de zeste d'orange pour la décoration

Versez dans un shaker la tequila, le Cointreau, le jus de citron et le jus d'orange. Ajoutez la grenadine et secouez vigoureusement pendant dix secondes. Passez dans un verre à cocktail rafraîchi et décorez avec une spirale de zeste d'orange.

Ananas and Coco
Pour une personne
5,5 cl de tequila reposado
3,5 cl de sirop de noix de coco
I gros morceau d'ananas frais
5,5 cl de jus d'ananas
de la glace pilée
I quartier d'ananas pour la décoration

Mettez dans un mixer la tequila, le sirop de noix de coco, le morceau d'ananas, le jus d'ananas et une poignée de glace pilée. Mélangez pendant vingt secondes. Servez dans un verre ballon décoré d'un quartier d'ananas.

Honey Water
Pour une personne
4 ou 5 glaçons
5,5 cl de tequila reposado
3,5 cl de vermouth doux
3 traits de bitter Angostura
3 traits de bitter Peychaud
2 cuillères à café de Grand Marnier
Pour la décoration
I griotte de marasca
I lanière de zeste d'orange

Mettez les glaçons dans un verre à mélange, ajoutez la tequila, les vermouths et les deux bitters et remuez doucement pendant dix secondes. Nappez l'intérieur d'un verre à cocktail rafraîchi avec le Grand Marnier et videz l'excédent. Remuez encore le contenu du verre à mélange pendant dix secondes et passez dans le verre. Décorez avec la cerise et la lanière de zeste d'orange.

Sour Apple

Honey Water

Bloody Maria

Pour une personne
1 quartier de citron vert
du sel de céleri
du poivre noir
des glaçons
5,5 cl de tequila
2 cuillères à café de xérès demi-sec
2 traits de Tabasco
4 traits de sauce Worcestershire
1 cuillère à soupe de jus de citron vert
10 cl de jus de tomate
du poivre de Cayenne
4 ou 5 glaçons
Pour la décoration
1 branche de céleri
1 quartier de citron vert
1 brin de basilic

Givrez le bord d'un verre old fashioned de 35 cl en le frottant avec le quartier de citron vert et en le trempant dans du sel de céleri et du poivre noir. Remplissez de glaçons un shaker, puis ajoutez la tequila, le xérès, le Tabasco, la sauce Worcestershire, le jus de citron vert, le jus de tomate, une pincée de sel de céleri, une pincée de poivre noir et une pincée de poivre de Cayenne. Secouez vigoureusement, puis passez dans le verre sur quatre ou cinq glaçons. Décorez d'une branche de céleri, d'un quartier de citron vert et d'un brin de basilic.

Mockingbird

Pour une personne
5,5 cl de tequila
3,5 cl de crème de menthe verte
5,5 cl de jus de citron vert
4 ou 5 glaçons
1 spirale de zeste de citron pour la décoration

Versez la tequila, la crème de menthe et le jus de citron vert dans un shaker. Ajoutez les glaçons et secouez vigoureusement pendant une dizaine de secondes. Passez dans un verre à cocktail rafraîchi et décorez avec la spirale de zeste de citron.

Frozen Strawberry

Pour une personne
du sucre
1 petite poignée de glace pilée
9 cl de tequila
4,5 cl de liqueur de fraise
4,5 cl de jus de citron vert
4 fraises mûres
1 cuillère à café de sirop de sucre de canne
1 fraise avec son pédoncule pour la décoration

Givrez le bord d'un verre à cocktail en l'humidifiant, puis en le trempant dans du sucre. Mettez la glace pilée dans un mixer et versez la tequila, la liqueur de fraise et le jus de citron vert. Ajoutez les fraises et le sirop de sucre et mélangez pendant quelques secondes. Servez sans passer dans un verre à cocktail et décorez d'une fraise.

Japanese Slipper

Pour une personne
1 quartier de citron vert
du sucre roux
5,5 cl de tequila
3,5 cl de Midori
5,5 cl de jus de citron vert
4 ou 5 glaçons
1 quartier de citron vert pour la décoration

Givrez le bord d'un verre à cocktail rafraîchi en le frottant avec un quartier de citron vert et en le trempant dans du sucre roux. Versez la tequila, le Midori et le jus de citron vert dans un shaker et ajoutez les glaçons. Secouez vigoureusement pendant une dizaine de secondes, puis passez dans le verre et décorez d'un quartier de citron vert.

Bloody Maria

Mockingbird

Pancho Villa
Pour une personne
4,5 cl de tequila
2,5 cl de Tia Maria
1 cuillère à café de Cointreau
4 ou 5 glaçons
1 cerise à l'eau-de-vie pour la décoration
(facultatif)

Versez la tequila, le Tia Maria et le Cointreau dans un shaker. Ajoutez les glaçons, secouez vigoureusement pendant dix secondes et passez dans un verre à cocktail. Ajoutez pour la décoration une cerise à l'eau-de-vie.

Tequila Sunset
Pour une personne
4,5 cl de tequila reposado
4,5 cl de jus de citron
4,5 cl de jus d'orange
1 cuillère à soupe de miel
de la glace pilée
1 spirale de zeste de citron pour la décoration

Mélangez la tequila, le jus de citron et le jus d'orange dans un verre à cocktail rafraîchi. Répandez le miel en surface et attendez qu'il dépose au fond du verre. Ajoutez la glace pilée et décorez d'une spirale de zeste de citron.

Coco Loco
Pour une personne
3,5 cl de rhum blanc
3,5 cl de tequila
2,5 cl de vodka
4,5 cl de crème de noix de coco
9 cl de jus de citron vert
3 glaçons brisés
Pour la décoration
1 spirale de zeste de citron
des cerises confites

Dans un mixer, mélangez pendant quinze secondes le rhum, la tequila, la vodka, la crème de noix de coco et le jus de citron vert. Versez dans un verre tulipe contenant la glace. Décorez avec une spirale de zeste et des cerises confites et servez avec des pailles.

Pancho Villa

Tequila Sunset

Coco Loco

Longs et frais

Dans ce chapitre, jus et liqueurs de fruits de toutes sortes marient leurs parfums à celui de la tequila pour composer des *long drinks* rafraîchissants.

Texas Tea
Pour une personne
3,5 cl de tequila
1 cuillère à soupe de rhum blanc
1 cuillère à soupe de Cointreau
2 cuillères à café de sirop de sucre de canne
3,5 cl de jus de citron
3,5 cl de jus d'orange
10 cl d'infusion de fruits, forte et glacée
des glaçons
Pour la décoration
1 tranche d'orange
1 tranche de citron
1 brin de menthe

Versez la tequila, le rhum, le Cointreau, le sirop de sucre, le jus de citron, le jus d'orange et l'infusion dans un shaker, ajoutez une poignée de glaçons et secouez vigoureusement. Passez le cocktail dans un verre à sling de 35 cl rempli de glaçons. Décorez avec les tranches de citron et d'orange et le brin de menthe.
À savoir
Les infusions de fruits rouges s'associent particulièrement bien aux jus d'agrumes du Texas Tea.

Matador
Pour une personne
5,5 cl de tequila
3,5 cl de jus de citron vert
10 cl de jus d'ananas
1 morceau d'ananas
2 cuillères à café de sirop de sucre de canne
de la glace pilée
Pour la décoration
1 quartier d'ananas
1 spirale de zeste de citron vert

Mettez dans un mixer la tequila, le jus de citron vert, le jus et le morceau d'ananas, le sirop de sucre et une poignée de glace pilée. Mélangez pendant quinze secondes. Versez dans un verre highball et décorez d'un quartier d'ananas et d'une spirale de zeste de citron.

Mexicola
Pour une personne
4 quartiers de citron vert
de la glace pilée
5,5 cl de tequila
15 cl de cola

Dans un verre highball de 35 cl, écrasez délicatement les quartiers de citron vert avec un pilon pour qu'ils expriment leur jus et leurs essences. Remplissez le verre de glace pilée, puis versez la tequila et le cola. Remuez doucement en faisant remonter les morceaux d'agrume.

Tijuana Sling
Pour une personne
5,5 cl de tequila
3,5 cl de crème de cassis
3,5 cl de jus de citron vert
2 traits de bitter Peychaud
4 ou 5 glaçons
10 cl de ginger ale
Pour la décoration
1 rondelle de citron vert
des myrtilles ou des cassis

Versez la tequila, la crème de cassis, le jus de citron vert et le bitter dans un shaker. Ajoutez les glaçons et secouez vigoureusement. Videz sans passer dans un verre à sling de 35 cl et recouvrez avec le ginger ale. Décorez d'une rondelle de citron vert et de baies fraîches.

Texas Tea

Tijuana Sling

Agave Julep
Pour une personne
8 feuilles de menthe
1 cuillère à soupe de sirop de sucre de canne
5,5 cl de tequila reposado
5,5 cl de jus de citron vert
de la glace pilée
Pour la décoration
1 quartier de citron vert
1 brin de menthe

Dans un verre highball de 35 cl, versez le sirop de sucre sur les feuilles de menthe avant de les déchiqueter avec un pilon de manière à ce qu'elles libèrent leurs essences. Ajoutez la tequila et le jus de citron vert, remplissez le verre de glace pilée et remuez vigoureusement. Décorez avec un quartier de citron vert et un brin de menthe.

El Diablo
Pour une personne
des glaçons
5,5 cl de tequila reposado
3,5 cl de jus de citron vert
2 cuillères à café de grenadine
10 cl de ginger ale
1 rondelle de citron vert pour la décoration

Remplissez de glaçons un verre highball de 35 cl, puis versez la tequila, le jus de citron vert et la grenadine. Complétez avec du ginger ale et remuez doucement. Décorez d'une rondelle de citron vert.

Sunburn
Pour une personne
des glaçons
3,5 cl de tequila reposado
1 cuillère à soupe de Cointreau
15 cl de jus de canneberge
1 rondelle d'orange pour la décoration

Remplissez de glaçons un verre highball de 35 cl, puis versez la tequila, le Cointreau et le jus de canneberge. Décorez d'une rondelle d'orange.

Rosarita Bay Breeze
Pour une personne
des glaçons
5,5 cl de tequila
15 cl de jus de canneberge
5,5 cl de jus d'ananas
1 tranche d'orange pour la décoration

Garnissez de glaçons un verre highball de 35 cl et versez la tequila et le jus de canneberge. Ajoutez le jus d'ananas et décorez d'une tranche d'orange.

Agave Julep

Astuce

Des glaçons décoratifs apportent une touche originale à un cocktail. Pour en confectionner, placez au congélateur un bac à glaçons rempli à mi-hauteur. Quand la glace s'est formée, déposez des brins de menthe ou des lamelles de zeste d'agrume mouillés. Faites les geler avant de les recouvrir d'eau pour finir les glaçons.

Tequila Sunrise

Pour une personne

5 ou 6 glaçons
4,5 cl de tequila
10 cl de jus d'orange
2 cuillères à café de grenadine
Pour la décoration
1 tranche de carambole
1 tranche d'orange

Brisez la moitié des glaçons et mettez-les dans un shaker. Ajoutez la tequila et le jus d'orange et secouez. Passez dans un grand verre contenant le reste des glaçons, puis versez lentement la grenadine et laissez-la déposer. Juste avant de servir, remuez une fois. Décorez avec la tranche de carambole et la tranche d'orange.

Gold Digger

Pour une personne

des glaçons
3,5 cl de tequila reposado
3,5 cl de rhum paille
15 cl de jus d'orange
2 cuillères à café de Grand Marnier
1 rondelle d'orange pour la décoration

Mettez des glaçons dans un verre highball de 35 cl. Versez la tequila, le rhum et le jus d'orange et remuez doucement. Aspergez de Grand Marnier et décorez d'une rondelle d'orange.

Rooster Booster

Pour une personne

des glaçons
5,5 cl de tequila
15 cl de jus de pamplemousse
1 cuillère à soupe de grenadine
10 cl d'eau de Seltz
Pour la décoration
1 rondelle de citron vert
1 griotte de marasca

Dans un verre highball de 35 cl, versez la tequila, le jus de pamplemousse et la grenadine sur des glaçons. Remuez doucement, puis complétez avec de l'eau de Seltz. Décorez avec la rondelle de citron vert et la cerise.

Mexicana

Pour une personne

8 à 10 glaçons
5,5 cl de tequila
3,5 cl de liqueur de framboise
3,5 cl de jus de citron
10 cl de jus d'ananas
Pour la décoration
1 quartier d'ananas
1 rondelle de citron

Versez la tequila, la liqueur de framboise, le jus de citron et le jus d'ananas dans un shaker. Ajoutez quatre ou cinq glaçons et secouez vigoureusement pendant une dizaine de secondes. Videz dans un verre highball de 35 cl contenant quatre ou cinq glaçons supplémentaires et décorez d'un quartier d'ananas et d'une tranche de citron.

Tequila Sunrise

Tequila
et Prohibition

Le jus d'orange qui masquait le goût désagréable de l'alcool de contrebande contribuait au succès du Tequila Sunrise pendant la Prohibition.

Thai Sunrise
Pour une personne

1 demi-mangue mûre, épluchée et coupée en tranches
3,5 cl de tequila
1 cuillère à soupe de Cointreau
1 cuillère à café de grenadine
3,5 cl de jus de citron ou de citron vert
3,5 cl de sirop de sucre de canne
2 ou 3 glaçons brisés
des tranches de citron vert pour la décoration

Mettez les ingrédients dans un mixer et faites tourner jusqu'à ce que la glace soit pilée. Versez dans un verre old fashioned et décorez avec les tranches de citron vert.

Baja Sour
Pour une personne

5,5 cl de tequila reposado
2 cuillères à café de sirop de sucre de canne
5,5 cl de jus de citron
2 traits de bitter orange
1 demi-blanc d'œuf
4 ou 5 glaçons
1 cuillère à soupe de xérès amontillado
Pour la décoration
des tranches de citron
1 spirale de zeste d'orange

Versez la tequila, le sirop de sucre, le jus de citron, le bitter orange et le blanc d'œuf dans un shaker. Ajoutez les glaçons et secouez vigoureusement. Videz le mélange dans un verre tulipe de 30 cl et aspergez avec le xérès. Décorez avec les tranches de citron et la spirale de zeste d'orange.

Pepper Eater
Pour une personne

des glaçons
5,5 cl de tequila
3,5 cl de Cointreau
10 cl de jus de canneberge
5,5 cl de jus d'orange
1 rondelle d'orange pour la décoration

Remplissez de glaçons un verre de 35 cl, puis versez la tequila, le Cointreau, le jus de canneberge et le jus d'orange. Remuez doucement. Décorez d'une rondelle d'orange.

Brooklyn Bomber
Pour une personne

5 glaçons pilés
4,5 cl de tequila
2,5 cl de Cointreau
2,5 cl de cherry
2,5 cl de Galliano
4,5 cl de jus de citron
Pour la décoration
1 rondelle d'orange
1 cerise confite

Mettez la moitié de la glace dans un shaker et ajoutez la tequila, le Cointreau, le cherry, le Galliano et le jus de citron. Secouez pour mélanger. Videz la timbale dans un grand verre contenant le reste de la glace. Décorez d'une rondelle d'orange et d'une cerise confite et servez avec des pailles.

Thai Sunrise

Brooklyn Bomber

Tequila de Coco
Pour une personne
1 petite poignée de glace pilée
4,5 cl de tequila
4,5 cl de jus de citron
4,5 cl de sirop de noix de coco
3 traits de *maraschino*
1 rondelle de citron pour la décoration

Dans un mixer, versez la glace pilée, la tequila, le jus de citron, le sirop de noix de coco et le *maraschino*. Mélangez quelques secondes, puis servez dans un verre Collins et décorez d'une tranche de citron.

Jalisco Swizzle
Pour une personne
de la glace pilée
3 traits de bitter Angostura
3,5 cl de tequila reposado
3,5 cl de rhum paille
5,5 cl de jus de citron vert
3,5 cl de jus de fruit de la passion
2 cuillères à café de sirop de sucre de canne
4 ou 5 glaçons
3,5 cl d'eau de Seltz
Pour la décoration
1 rondelle de citron vert
1 brin de menthe

Remplissez de glace pilée un verre highball de 35 cl rafraîchi. Versez l'Angostura, la tequila, le rhum, le jus de citron vert, le jus de fruit de la passion et le sirop de sucre dans un shaker. Ajoutez les glaçons et secouez vigoureusement. Passez dans le verre et complétez avec de l'eau de Seltz. Remuez brièvement jusqu'à ce que le verre s'embue. Décorez d'une rondelle de citron vert et d'un brin de menthe.

Acapulco
Pour une personne
de la glace brisée
4,5 cl de tequila
4,5 cl de rhum blanc
9 cl de jus d'ananas
4,5 cl de jus de pamplemousse
4,5 cl de sirop de noix de coco
des glaçons
1 morceau d'ananas pour la décoration

Dans un shaker contenant de la glace brisée, versez la tequila, le rhum, le jus d'ananas, le jus de pamplemousse et le sirop de noix de coco. Secouez vigoureusement et videz le mélange dans un grand verre rempli de glaçons. Décorez d'un morceau d'ananas et servez avec des pailles.

Desert Daisy
Pour une personne
de la glace pilée
4,5 cl de tequila
5,5 cl de jus de citron vert
2 cuillères à café de sirop de sucre de canne
1 cuillère à soupe de liqueur de fraise des bois
Pour la décoration
1 mûre
1 fraise
1 quartier de citron vert
1 quartier d'orange
1 brin de menthe

Emplissez à mi-hauteur de glace pilée un verre old fashioned de 35 cl et versez la tequila, le jus de citron vert et le sirop de sucre. Remuez doucement jusqu'à ce que le verre s'embue. Ajoutez de la glace pilée et nappez avec la liqueur. Décorez avec une mûre, une fraise, un quartier de citron vert, un quartier d'orange et un brin de menthe.

Acapulco

À savoir

Votre cocktail sera toujours plus savoureux si vous utilisez le jus d'un fruit fraîchement pressé plutôt que du jus industriel.

Onctueux et exotiques

Parfums des tropiques et crème fraîche apportent richesse et velouté à des cocktails dont il ne faut pas abuser : leur douceur masque leur teneur élevée en alcool.

Silk Stocking

Pour une personne

du chocolat en poudre
3,5 cl de tequila
3,5 cl de crème de cacao incolore
10 cl de crème fraîche liquide
2 cuillères à café de grenadine
4 ou 5 glaçons

Givrez le bord d'un verre à cocktail rafraîchi en l'humidifiant, puis en le trempant dans du chocolat en poudre. Versez la tequila, la crème de cacao, la crème fraîche et la grenadine dans un shaker et ajoutez les glaçons. Secouez vigoureusement pendant dix secondes et passez dans le verre.

Brave Bull

Pour une personne

des glaçons
3,5 cl de tequila
3,5 cl de Kalua

Remplissez un verre old fashioned de glaçons, versez la tequila et le Kalua et remuez doucement.

Variantes

Pour transformer un Brave Bull en Brown Cow, incorporez au mélange ci-dessus 5,5 cl de crème liquide. Le Brave Bull deviendra un Raging Bull si vous le flambez en ajoutant une cuillère à café de sambuca enflammée.

Sombrero

Pour une personne

3,5 cl de tequila reposado
3,5 cl de crème de cacao marron
10 cl de crème fraîche liquide
4 ou 5 glaçons
de la noix de muscade râpée pour la décoration

Versez la tequila, la crème de cacao et la crème fraîche dans un shaker. Ajoutez les glaçons et secouez vigoureusement pendant dix secondes, puis passez dans un verre à cocktail rafraîchi. Décorez en saupoudrant de noix de muscade râpée.

À savoir

La crème de cacao marron associée à de la tequila reposado donne une subtile teinte café à la crème fraîche du Sombrero.

Silk Stocking

Sombrero

Brave Bull

Mexican Bulldog
Pour une personne
des glaçons
3,5 cl de tequila
3,5 cl de Kalua
5,5 cl de crème fraîche liquide
10 cl de cola
du chocolat en poudre pour la décoration

Dans un verre highball de 35 cl garni de glaçons, versez la tequila, le Kalua et la crème fraîche. Complétez avec du cola. Mélangez doucement et servez saupoudré de chocolat en poudre.

Acapulco Bliss
Pour une personne
3,5 cl de tequila
1 cuillère à soupe de Pisang Ambon
2 cuillères à café de Galliano
3,5 cl de jus de citron
3,5 cl de crème fraîche liquide
10 cl de jus de fruit de la passion
4 ou 5 glaçons
Pour la décoration
des tranches de citron
1 morceau d'ananas
1 brin de menthe

Versez dans un shaker la tequila, le Pisang Ambon, le Galliano, le jus de citron, la crème fraîche et le jus de fruit de la passion. Ajoutez les glaçons et secouez vigoureusement. Servez dans un verre à sling de 35 cl et décorez avec des tranches de citron, un morceau d'ananas et un brin de menthe.

Frostbite
Pour une personne
4 ou 5 glaçons
4,5 cl de tequila
4,5 cl de crème fraîche épaisse
4,5 cl de crème de cacao incolore
2,5 cl de crème de menthe incolore
du chocolat en poudre pour la décoration

Mettez les glaçons dans un shaker et versez la tequila, la crème fraîche, la crème de cacao et la crème de menthe. Secouez vigoureusement pendant dix secondes et passez dans un verre à cocktail rafraîchi. Saupoudrez de chocolat en poudre.

Mexican Bulldog

À savoir

Le Pisang Ambon est une liqueur néerlandaise à base de fruits, de banane principalement. Il est fabriqué selon une vieille recette indonésienne.

Acapulco Bliss

Frostbite

Index des cocktails

Index des ingrédients

Cet index recense les alcools utilisés dans les recettes du livre en complément des quatre composants de base : le rhum, le gin, la vodka et la tequila. Y figurent aussi quelques ingrédients non alcoolisés qu'une notule présente à la page dont le numéro apparaît en gras.

2.5 cl	25 ml	3/4 oz
3.0	30	1 oz
3.5	35	1 2/3 oz
4.0	40	1 3/4 oz
4.5	45	1 1/2 oz
5.0	50	1 2/3 oz
5.5	55	1 3/4 oz

ISBN : 2501-03648-4

Dépôt légal : n° 15289 / Septembre 2001

Imprimé en Italie par Milanostampa Spa